まえがき

君には目標はあるかな？

- 塾の模試で良い偏差値を取りたい
- 学校のテストで良い点を取りたい
- 通っている塾で上のクラスに上がりたい
- 受験に合格したい

どれかしら当てはまるものがあるんじゃないだろうか。

　ただ、その目標を達成するためにコツコツ努力をするのって大変だよね。だってYouTubeも見たいし、ゲームもしたいし、友達と遊ぶ時間も大事だもん。そして、時には遊びたい気持ちを我慢できなくて、「ついつい遊びすぎて勉強が終わらなかった！」なんてこともあるよね。

　でも、それは君だけじゃない。多くの子がそうなんだ。私だって子どもの頃はそういうことがたくさんあったよ。それで、宿題が終わってなくて後悔したり、テストで悪い点数を取って悲しい思いをしたりするんだよね。

　ここで、ちょっと想像してみてほしい。もし、要領よく短時間で勉強を終わらせることができて、遊ぶ時間がたくさん取れるようになったらどれくらいうれしい？　しかも、ちゃんとテストでも良い点数が取れて、みんなから褒められるんだ。

　この本では、その想像を実現するために、短時間で効果的に学

べるお得な勉強のやり方を君に教えるよ。

　第1章には、効果的な勉強のテクニックをまとめてある。
　こういうやり方をすると、短い時間でラクに覚えられるというテクニックだ。勉強は、進む速度も覚えられる量も、やり方次第で大きく変わる。それこそ、「同じ勉強時間で、同じ量の問題を解いて、覚えられる量が3倍に増えた！」なんていう実験結果もザラにある。逆に言うと、やり方を間違えちゃうと、せっかくがんばっているのに覚えられる量が3分の1になっちゃうこともあるということ。

　もし、悪いやり方で覚えられるまでがんばったとしたら、時間がメチャクチャかかって遊ぶ時間がなくなっちゃう！　それに、そんなに時間がかかったら、途中でめんどくさくなってイヤになってしまうよね。

　でも、知らないとそういう悪いやり方をやってしまいがちなんだ。だからこそ、どういう方法だと勉強が早く終わるのか、早く覚えられるのか、知っておこう。

　第2章では、計画の立て方についてまとめてある。
　つまり、テキパキ行動できるようにして、やるべき課題を短時間で終わらせるコツだよ。ダラダラと勉強したり、やらなきゃいけないことを先延ばしにしたりすると、余計に勉強時間が長引いて遊べなくなってしまうよね。それって、ものすごく損なことなんだけど、わかっていてもダラダラしたり、先延ばしにしたりすることがあるのが人間なんだ。

でも、上手に計画を立てることができると、そうしたダラダラや先延ばしを防ぐことができる。しっかり遊ぶ時間を確保するために、計画の力を最大限に生かそう。

　第3章では、勉強がはかどる環境について書いてある。
　人間は周囲の環境から、とても大きな影響を受けているんだ。悪い環境で学習すれば、集中力が落ちてダラダラとし、勉強時間が長引いてしまうことになる。そもそも、そんな集中できていない状態で勉強したって頭には入らないから、ちゃんと覚えられるまでやろうとすると、必要以上に時間がかかってしまうことになる。もったいないよね。

　集中できない環境で集中しようとするよりも、先に部屋の環境を整えたり、自分が良い環境に移動したりする方が、よっぽどラクして良い勉強ができるようになるんだ。どんな環境が良いのか、この章を読んで覚えておいてね。

　最後に第4章では、やる気を高めるための、その他の色々なワザをまとめてある。
　例えば、睡眠を取るだけでテストの点数が勝手に上がってしまうワザを紹介している。寝ているだけでテストの点数が上がったらお得だよね。うまく活用してほしい。

　私も小学生の頃、中学受験のために塾に通っていた。塾の授業は楽しかったし、受験には合格したかった。でも、宿題は大嫌いだった！　もちろん復習をするのもイヤだった。もっとテレビが見たかったし、マンガが読みたかった。そのために勉強時間を減

らしたかった。

　この本で紹介しているのはすべて、そんな小学生の頃の自分に教えてあげたいテクニックばかりだ。きっと君の役に立つと思う。どのテクニックも、すべて見開き１ページで完結していて、そのページだけを読めば内容がわかるようにしてある。だから、前から順に読まなくてもOKだよ。目次を見て、面白そうだなと思ったところから読んでくれていい。

　そして、すべてを完璧にこなす必要もない。できそうなことから気楽にやってくれれば大丈夫。むしろ、一気に全部やろうとすると続けられないだろうから、１つひとつ取り入れていくようにすると良いよ。やってみて、成果を感じられたら続けてみよう。それに慣れてきたら、次のものをまたやってみよう。

　ひと通り身につけたときには、きっと君はみんながうらやましく思うくらい、要領よく勉強できるようになっているはず。成果を楽しんでね。

中学受験専門塾

伸学会

菊池 洋匡

1章 タイパUPする学習テクニック

2章 タイパUPする学習計画

3章 タイパUPする学習環境

4章 タイパUPする学習コンディショニング

イラスト：イケマリコ
カバーデザイン：西垂水敦・内田裕乃（krran）
本文デザイン・DTP：佐藤純（アスラン編集スタジオ）

1章

タイパUPする学習テクニック

勉強時間はどう設定すると成績が上がりやすい？

✕

がんばって1時間は勉強し続ける

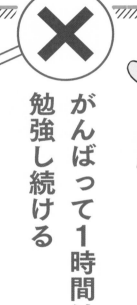

◯

15分1セットをくり返す

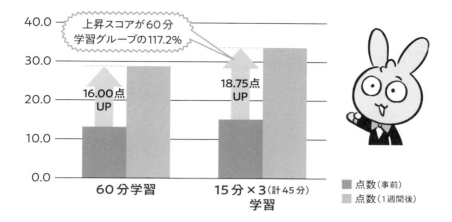

上昇スコアが60分
学習グループの117.2%

16.00点
UP

18.75点
UP

60分学習

15分×3(計45分)
学習

■ 点数(事前)
■ 点数(1週間後)

授業中、時間が進むのがやたら遅いと感じたことはないかな?

それは集中力が切れて頭が働いていない証拠。大人も子どもも関係なく、**集中力が続く時間は短い。どれくらい短いかというと、「継続して集中できるのは15分」くらい**。思ったより短くない?

大好きなゲームやマンガだったら、もっと長く集中できるかもしれないけど、「勉強のときだったら確かに15分くらいかな」っていうのは実感できるんじゃないかな。だから、勉強時間を1時間に設定すると、15分を過ぎた後は効率の悪いダラダラした勉強をすることになってしまう。それだと時間がもったいないよね。

そこで、勉強時間を最初から15分に設定してみよう。実際にやってみると、あっという間に時間が過ぎることが体感できるはず。それこそが集中している証拠。**15分経ったら5分休憩を取り、また15分取り組もう。**

この勉強時間を15分ごとに区切るやり方の効果を検証した実験がある。東京大学の池谷裕二教授がベネッセと協力して行った実験で、中学1年生を「60分で1時間勉強」と「15分×3セット」のグループに分けて英単語の勉強をしてもらい、翌日英単語のテストを実施した。すると、「15分×3セット」の方がテストの成績がよかったんだ。1週間後にテストをしたら、その差はさらに広がっていた!

ダラダラ長時間やるよりも、休憩をはさみながら勉強した方が効率が良いということがよくわかるね。短く区切り、集中力を最大限引き出して勉強しよう。

1

タイパUPする学習テクニック

1-2

テキストを要領よく
覚える方法は？

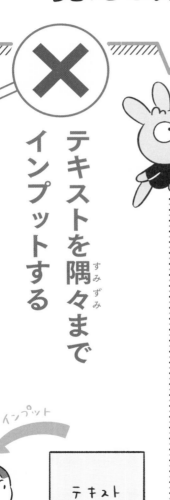

❌ テキストを隅々まで（すみずみ）
インプットする

⭕ テキストの暗唱をして
アウトプットを増やす

インプット

テキスト

アウトプット

暗唱

テキスト

（吹き出し）読むだけだからラクチン！

（吹き出し）インプットだけは時間のムダ。アウトプットしないとどんどん忘れるよ

　どうせ勉強するなら、できるだけ短時間で、ラクしてたくさんのことを覚えたい。それなのに、何度テキストを読んでもなかなか覚えられなくて、苦労することってあるよね。どうすれば要領よく覚えられるんだろう？

　その答えは「アウトプット」を増やすこと。アウトプットとは、要するに「思い出す」ことをともなう作業のことだよ。例えば、「テキストの暗唱」「暗記カード」「問題演習」などは、すべてアウトプットになる。それに対して、「テキストを読む」「先生の説明を聞く」などは「インプット」になるね。

　多くの子は、ついついこのアウトプットをサボりがち。だって、アウトプットは疲れるからね。思い出せなくてイライラすることもある。それに対して、テキストをただ読むだけみたいなインプットは、あまり頭を使わなくてもできるので、ラクな方に流されがちだよね。

　でも、残念ながらそのやり方は時間がムダになるから気をつけよう。なぜなら、**人間の記憶は「インプット」よりも「アウトプット」を重視するようにできているから。たくさん「インプット」をしても、その記憶を「アウトプット」で使わないと、どんどん忘れていっちゃうんだ。**

　もちろん、大好きなマンガやアニメなら一度見ただけで忘れないなんてこともあるかもしれない。でも、それは「好き」「楽しい」って気持ちがそうさせているだけで、ふだんのお勉強(特に苦手科目)はそうはいかない。だから、勉強した内容は必ず「アウトプット」をするようにしよう。

　理想は「インプット」と「アウトプット」を交互にやること。アウトプットをしてみて、わからなかったら再度インプットしよう。そうすると最高に効率の良い勉強になるよ。

一度解いた問題を
次はできるようにするには？

✖

解法のコツ
だけ覚える

◯

問題と解法を
セットで覚える

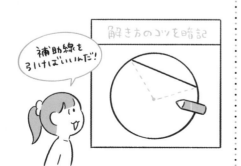

解き方のコツを暗記

補助線を
引けばいいんだ！

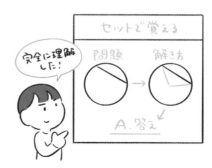

セットで覚える

問題　　解き方

完全に理解
した！

A.答え

　何度も同じ問題を間違えると、何度も解き直しをしなきゃいけない。これって、本当にめんどくさいよね。多くの子はその"めんどくさい"に耐えられないので、あきらめて悪い成績でもいいやってことになる。かわいそうだね。

　そんなめんどくさいことをしなくても、すぐにできるようになる子は、いったいどんな勉強のやり方をしているんだろう？　今回はそのコツを教えよう。**一度やった問題をすぐにできるようにするためには、間違えた「問題」と「知識・解き方」をセットにして覚えること**を意識してみよう。

例①
問題…御成敗式目を定めたのは誰？
知識…北条泰時
例②
問題…曲線が入った図形問題を解くときは？
解き方…曲線の両端から円の中心に線を引き、半径に同じ長さマークを書く

　似たような問題を何度も間違える子の多くは、上記の例①の問題の答えを見たときに、「北条泰時」だけを覚える、といった勉強のやり方をしてしまいがちなんだ。

　そのせいで、何を聞かれたときに「北条泰時」と答えてよいのかわからなくなって、同じ問題でまた間違えたり、「北条泰時が定めた武家社会にとっての最初の成文法は？」と逆の聞かれ方をされるとわからなくなったりしちゃうんだ。

　面倒でもセットで覚えるようにすると、勉強のタイパがアップするから、これからぜひやってみてね。

成績が上がる
テスト勉強のタイミングは？

✕

◯

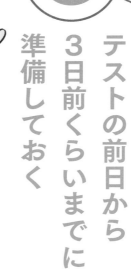

テストの前日から
3日前くらいまでに
準備しておく

テストの直前に
急いで詰め込む

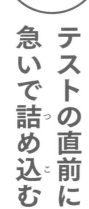

もう
テスト前日だ！

急げ！

30

テストに
備えよう！

テスト
3日前

テスト

準備期間

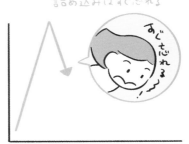

テスト直前の詰め込み勉強は、私も小学生～高校生くらいまでの間にやってしまっていたダメ勉強法なんだ。記憶力には自信があったので、直前の詰め込みによく頼っていたけど、そのせいで中学生以降はどんどん勉強が苦手になっていった。

　なぜなら、**人間の脳は短期集中で一気に詰め込んだものは、その分一気に記憶から抜けていってしまうから**。せっかくがんばって覚えたことを、すっかり忘れてしまうなんてもったいない。この本を読んでいる君は絶対にマネしないでほしい。

　逆に、時間をかけてじっくり覚えたものは、長い間記憶に残って忘れなくなるんだ。こっちの方が絶対にお得！　「自分は覚えるのが苦手で、なかなか覚えられない…」という子もいると思うけど、それは武器に変えられるので前向きに考えよう。

　毎週塾でやる小テストや学校の漢字テストをイメージして、「テストの前日から３日前くらいまでに準備しておく」と答えたけど、もし君が中学生・高校生になったときに定期テストに向けて勉強するというなら、１～２週間前までにひと通りの勉強を終わらせておくといい。そして、直前のタイミングでもう一度復習しておこう。そうすると、先々まで長く残る記憶になる。

　君たちが今している勉強は、目先の週テストやマンスリーテスト、期末テストで正解できればいいというわけではないよね。この先の勉強の土台として必要になるし、もっと先にある受験に出たら正解できなきゃいけない。だから、すぐに忘れてしまうようなもったいない勉強法で、せっかくの勉強時間をムダにしないようにしよう。

1-5

テスト直しは
いつやると効果的？

❌ ⭕

なるべく早く。
できればその日に！

時間を空けて
直しをする

すぐに
テスト直しするよ！

テスト
fin.

テスト

テスト直し

期間を空ける

　中学受験をする子は、塾でしょっちゅうテストを受けるよね。少なくとも月に1回くらい、多い塾だと毎週テストがある。そのテストで間違えた問題はしっかり直しをやって、次に似た問題が出たときにはしっかり正解できるようにしなきゃいけない。

　もちろん中学受験をしない子だって、学校のテストの直しは大事。高校受験のときには中学受験ほどじゃないけど、模試を頻繁に受けることになるから直しが必要になる。

　じゃあ、そのテストの直しって、いつやるといいんだろう？　実は、多くのまじめな子がやってしまう失敗が、模試当日のうちに自己採点と直しまでやっちゃうパターン。これは、せっかく解説を見て正しい解き方や答えを覚えても、すぐに忘れてしまうもったいないやり方なんだ。

　なんで忘れやすいかわかるかな？　そう、「短期集中は忘れやすい」だったよね。模試でできなかった問題を、その日のうちに直しをしてできるようにするのは、短期集中になってしまう。

　それに対して、**模試の結果が返ってくる5〜10日後のタイミングに合わせて直しをすると、いい感じに「分散学習」になって記憶が長持ちするようになる。**どうせなら、覚えたことは忘れないようにしたいよね。直しは間を空けてやる。ぜひ、色々なところで意識してみてね。

　ただし、後でやろうと思っていて忘れちゃうと最悪！　直しをせずにほったらかしは、一番もったいないから気をつけよう。せっかく長い時間かけてテストを解いたのに、それが成長につながらないなんて、「時間を返して！」って言いたくなっちゃうよね。そうならないように、いつやるのかしっかり決めて、計画的に行動できるようにしていこう。

勉強内容をしっかり 覚えられる丸つけ方法は？

✕

1問解くたびに 答え合わせをする

○

全問解き終わってから 答え合わせをする

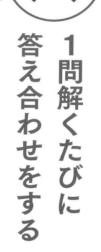

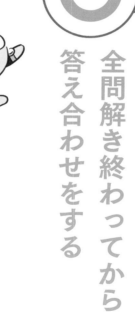

1問
解いたら

① 4 × 8 = ?
↓
こたえ 32

全問
解いたら

① 4 × 8 = 32
② 20 ÷ 5 = 3 ✓
③ 6 − 3 = 3 ✓
④ 8 + 9 = 17
7 × 5 = 30

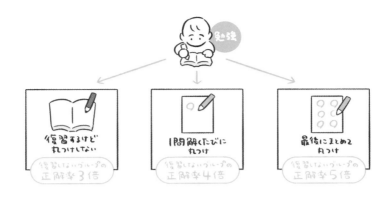

　君は問題を解いたら１問ずつこまめに丸つけしてる？　それとも、全部終わってからまとめて丸つけする派かな？　どっちにしても大して変わらないって思うよね。でも、ささいなことだけど、これだけのことで覚えられる量には違いが出るんだ。それはこんな実験でも確認されているよ。

　まず、実験参加者たちに歴史の勉強をしてもらって、その後で参加者を４つのグループに分けた。グループ１は何も復習しない。グループ２は記号選択問題で復習するけど、答え合わせはしない。グループ３は記号選択問題で復習して、１問解くたびに答え合わせをする。グループ４は記号選択問題で復習して、全部解き終わってから答え合わせをやる。

　そして、１週間後にどれくらい覚えているか確認テストを行った。その結果、グループ１の成績が10％くらい正解だったのに対して、グループ２は30％、グループ３は40％、グループ４は50％くらいだったんだ。

　この結果から、いくつかの教訓が得られるね。まず１つ目は、**勉強した後で復習すると、覚えていられる量がグッと増えるということ**。それだけで正解率が10％から30％に増えたから、なんと３倍だね。

　２つ目の教訓は、**問題を解いた後に丸つけをして正解を確認すると、さらに点数が伸びること**。答えを確認するのは効果的な勉強なんだね。ここまでは、「手間を増やせば、点数も上がる」という関係だ。

　最後の教訓は、**同じ手間でも、丸つけは最後にまとめてやった方が覚えている量が多いということ**。やり方を変えただけで、覚えられる量が増えるんだからお得だよね。これは、まとめてやる方が問題を解いてから答え合わせまで時間が空くから「分散学習」になるということなんだ。分散効果をうまく活用していこう。

正しい解き方や答えを
確認した後にするべきことは？

❌　⭕

もう覚えたから
大丈夫！
脳を休める

全問解けるか
確認する

おやすみ

check!

100

①出てきた問題をすべて解けるよう、
一度頭に叩き込む

②忘れないように
反復する

くり返す

　たった３分で、漢字テストなどの暗記系テストの点数が大きくアップする方法がある。そんな魔法のような勉強法を、君だけにこっそり教えよう。その方法とは、正しい答えを確認した後に、すべての問題をもう一度解くこと。「直後だから簡単だよ」と思うかもしれないが、この時間があるかないかで、その後の点数が大きく変わるんだ。漢字や英単語、歴史人物や星座の名前など、勉強や宿題をしていく中で覚えることはたくさんある。そして、それらを覚えるためにすることは、大きく分けて２つある。

① 出てきた問題をすべて解けるよう、一度頭に叩き込む

② 忘れないようにするために反復する

　このことを知らない人は、実はかなりいる。テストでなかなか点数を取れない人は、この①ができていない場合がとても多い。塾の授業をしているときにも、テスト解説をして「わかった？」と確認して、「わかりました」と答えた子たちにまた同じ問題を解いてもらうと、解けないことが頻繁にある。つまり、「わかったつもり」「覚えたつもり」になっているだけで、本当にはわかっていないし、覚えられていないんだ。

　だから、自分がちゃんとわかっているかを確認するために、解説を読んで正しい答えを確認したら、すべての問題をもう一度解いてみよう。ちゃんと覚えていなければ、もう一度覚え直す。これをくり返すと、だんだんと自分がちゃんと覚えているかどうかが感覚的にわかってくるよ。

　「時間を空けて解き直し」は効果的な勉強法だけど、そもそも理解と記憶が不十分だと効果が半減してしまう。まずはしっかりと一度頭に叩き込むことを徹底しよう。知らないからやっていない人が多いけど、とても効果が大きいので、実行して周りに差をつけよう！

なかなか解けない問題はどうする？

× 解けるまで考え続ける

○ 飛ばして、次の日に再チャレンジする

問3

わかるまで考えるぞ…

問3
問4

飛ばして次の日にチャレンジ！

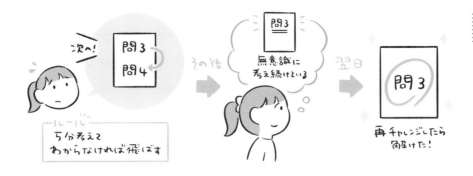

　なかなか解けない問題にぶつかったときって、気持ち悪いよね。テストでもふだんの勉強でも、解き終わるまで粘りたくなるんじゃないかな。その気持ちはとても大切で良いことだけど、「学習効率」から考えると、やりすぎはよくない。どれだけ長く粘っても、結局わからないことはあるからね。

　そんなときは飛ばして次の問題に進み、翌日にでも再チャレンジしてみよう。そうすると、意外にすんなり解けることもあるんだ。

　なぜ、時間が経つと急にわかるようになることが起こるかというと、**私たち人間の脳は終わっていない課題を考え続ける性質がある**からなんだ。その問題から離れても、頭の奥の無意識の部分では考え続けている。

　そして、時間が経つと自動的に答えややり方を思いついたりする。君にも「何だっけ、アレ…？」と、なかなか思い出せなかったことが、後になってフッと「思い出した！」となった経験があるんじゃないかな？　だから、わからない問題は無意識の自分にまかせてしまって、先に進んだ方がいいんだ。

　ただ、気をつけないといけないのは、終わっていない課題が気になって、次の課題に集中できなくなっちゃうこと。「考え続ける性質」のマイナス面と言える。テストのときに、わからなくて飛ばした問題が気になることってあるよね。

　そうならないようにするためには、「締め切り」を決めるといい。**あらかじめ「〇分考えてわからなかったら終了」というように決めておくと、気になっちゃうのを抑えて、次の課題に集中しやすくなる**。無意識の自分を上手に活用して、効率よく勉強を進めよう。

効率のいい漢字の覚え方は？

❌

⭕

形と読み方を
同時に思い出す

・読み方だけ思い出す
・形だけ思い出す

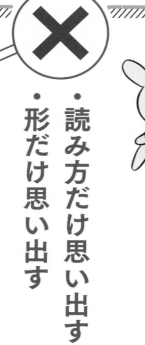

　漢字を覚えるのって、とても大変だよね。塾の生徒にも、漢字を覚える
のが苦手な子は多い。私も小学生の頃、漢字の書き取りが苦手だったから
気持ちはよくわかるよ。だから、**生徒たちには漢字をラクに覚える秘訣を
教えている。その秘訣とは、読み方を声に出して読みながら書く、という
ことなんだ。**

　中国で小学生を対象に、「形だけ思い出す」「読み方だけ思い出す」「形
と読み方を同時に思い出す」の３パターンの勉強法を比較してみた。する
と、**「形と読み方を同時に思い出す」というやり方で勉強したグループが
一番点数が高かった。しかも、覚えるのにかかった時間も一番短かったん
だ。**短時間で覚えられるなんて素晴らしいよね。

　日本語の場合は、漢字の読み方に音読みと訓読みがある。さらに同じ漢
字でも、熟語によって「告白」「白夜」みたいに読み方が変わるので、覚
えるのが大変だ。でも、めんどくさがらずに、字の形と読み方をセットで
練習してみよう。

　また、日本の漢字の多くは「意味を表すパーツ（部首）」と「音を表す
パーツ」の組み合わせでできているんだ。形と読みを覚えるときにあわせ
て、どのパーツが音を表しているか考えると、覚えるのがさらにラクにな
るよ。

　例えば、「経」「径」「軽」「茎」、これらは全部「ケイ」と読む漢字なんだ。
同じ「圣」というパーツが入っているのがわかるかな？　「剣」「験」「検」
「険」「倹」、すべて「ケン」と読む漢字だけど、同じ「僉」というパーツ
が入っているよね。こういうところも意識しながら、形と音をセットで覚
えるようにしてね。

ノートを使った効果的な
アウトプット方法は？

✕ 習ったことをキレイにまとめる

◯ 習ったことをひたすら書き出す

キレイにまとめられた！

ひたすら書き出す

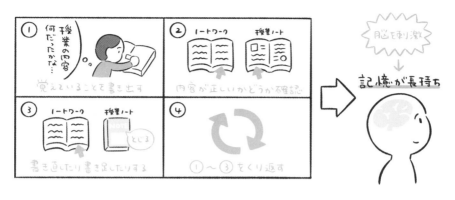

アウトプット方法の1つとして、ノートに書くことがあるよね。学校や塾で「ノートまとめ」が宿題として出されることもあるんじゃないかな。ただ、このノートをまとめる作業はとてもハードルが高い。何を書いていいかわからなくて困っちゃう子も多いと思う。実際、私の塾で「ノートまとめ」を宿題にしたら、何も書けない子が結構いたんだ。

そこで色々と試した結果、まとめないでいいから、ただただ書くようにしたらやりやすいということになった。そして、まとめないので、「ノートまとめ」ではなく「ノートワーク」と呼ぶことにした。

ノートワークのやり方はこんな感じ。

① 「その日（または前日）の授業で習ったことは何だったか？」を考えて、覚えていることをすべて書き出す

② テキストや授業中に書いたノートを見て、ノートワークに書いた内容が正しいか確認する

③ 足りないところや間違っているところがあったら、テキストや授業中に書いたノートを閉じ、ノートワークを書き直したり書き足したりする

④ 以下、くり返し

こんな風に**「思い出しながら書く」ということをすると、脳への良い刺激になって、記憶が長持ちするようになるんだ。くれぐれも、テキストや授業中のノートを「見ながらそのまま書き写す」ということはしないようにしよう。**それでは頭を使ったアウトプットにならないので、せっかくやってもあまり記憶に残らないよ。時間をかけすぎないように、5分とか10分とか時間を決めてチャレンジしてみてね。

タイパの良い暗記カードの活用法は？

❌ 既製の暗記カードを使う

⭕ 自分で暗記カードを作る

既製品
よく学べるシリーズ

○ 手書き

アウトプットはとても効率の良い勉強法だって、わかってもらえたかな。アウトプットにも色々なやり方があるんだけど、その中でも手軽に取り組めるのは暗記カードじゃないかと思う。問題と答えを裏と表に書いて、覚えているかどうか確認する。

最近は、自分で問題と答えを登録して何度も練習できるアプリもあるよ。さらに便利なことに、そうした暗記カードの中には、最初からできあがっているものもある。中学受験向けや高校受験向け、理科や社会、出題頻度順など様々なものがあるので、その中から選べばきっと自分に合うものが見つかりそうだね。

すでにあるものは活用した方がいいと思うかもしれないけど、実はそれはもったいない。なぜなら、暗記カードは自分で作った方が学習効果が大きいからなんだ。

「問題を考える」ということは、それ自体とても効果的な勉強になる。だから、ちょっと手間はかかるけど、暗記カードを作る時間は決してムダじゃないんだ。

それに、既製のカードだと自分に必要ないものもたくさん入っているよね。すでに十分理解して覚えていることや、自分が受けるテストの出題範囲外のものとか。それらを取り除いて、自分にとって必要なものだけにするにはそれなりに時間がかかる。だったら、カードを作ることに時間と手間をかける方がタイパが高いというわけだね。

もちろん、既製のカードを使ってやる勉強も効果的なので、手軽にやるならそっちを選んでもOK。だけど、もし時間があるなら自分でカードを作ることにもチャレンジしてみてね。

勉強内容が身につきやすい
心がまえは？

✕

◯

勉強の後、
テストするつもりで

勉強の後、
人に教えるつもりで

この後テストの
つもりで

この後人に
教えるつもりで

　「この後にテストするよ」「この内容、テストに出るからね」などと言われたら、きっと「ちゃんと覚えなきゃ！」という気持ちになるよね。そして集中力が高まって、いつも以上に勉強内容を覚えられるんじゃないだろうか。「この後にテストを受けるつもり」で勉強するのはとても良い心がまえだ。でも、実はもっと良い方法がある。それが、「人に教えるつもり」で勉強することなんだ。

　ワシントン大学の研究者たちが学生を対象に実験したところ、「この後にテストがあるよ」と言われて勉強したグループよりも、「この後で他の人に教えてもらうよ」と言われて勉強したグループの方がはっきりと点数が高かったんだ。しかも、内容的に重要なポイントをよく覚えていたというから、とても効率の良い勉強になっていたことがわかるね。

　でも、「本当かな…？」と思って、実際に私の塾でも生徒にやってもらったら、確かに効果的だったんだ。**算数が苦手でなかなかできるようにならなかった子に、「わかったことを先生に説明するつもりで解説を読んでみてね」と言って、それを続けさせたところ、だんだんと算数がわかるようになっていった。**

　「人に教えるつもり」で勉強しても、普通に勉強するのとかかる時間はほとんど変わらないよね。疲れ具合も変わらないはず。試しに、これをやってみてもらった生徒に聞いてみても、「全然大変じゃない」と言っていたよ。

　そんなちょっとした違いで、理解度が劇的に変わるんだから、お得な勉強法だよね。君もこれからはぜひ、学んだことを後でお父さん・お母さんに教えるつもりで授業を受けたり、テキストを読んだりしてみよう！

「人に教えるつもり」より、さらに勉強内容が身につく方法は？

✕ 人に教えてもらう

◯ 実際に人に教える

ここは、こうしてこうしてこうするんだよ

…ということで家康は天下統一をしたんだ！

　1−12で、「教えるつもり」で勉強すると効果が高いという話をしたけど、じゃあ実際に教えるのって、どうなんだろう？

　実は、教えることそのものにも高い学習効果がある。**人に教えるつもりで準備してもらったけど実際には教えなかった人と、教えるつもりで準備してもらって実際に教えた人に、それぞれテストを受けてもらったところ、実際に教えた人の方が高い点数を取ったんだ**。点数の上昇幅は、実際に教えた方が60％くらい大きくなったそうだから、結構な違いだね。

　実際に教えることは手間と時間がかかるので、「教えるつもりだけ」よりは大変だけど、コスパを考えるととても良い勉強法なんだよ。だから、せっかく勉強した内容は友達やお父さん、お母さんに教えよう。

　ただ単に説明してあげるだけじゃなくて、クイズ形式などの遊びにすると、お互いに楽しめて、もっと効果的かもしれないね。答えと解説までしっかり考えてみよう。

　ちなみに、お父さんやお母さんが忙しかったり、友達とも予定が合わなかったりして、教える相手がいないときもあると思う。あるいは、人に教えるのがはずかしかったり、失敗しないか心配だったりして、気が引けるということもあるかもしれない。

　そういうときは、家にあるクマのぬいぐるみを相手にしてもOKだよ。これは「ラバーダック勉強法」というまじめな方法で、ゴム製のアヒルちゃんに話しかけることに由来しているんだ。**ゴム製のアヒルでもクマのぬいぐるみでも何でもいいので、自分が話しかけやすい相手に向かって、学んだことを説明してみよう**。そうすれば、短時間で効果的に勉強した内容を覚えられるよ。ぜひ試してみてね。

ずっと忘れない記憶にするための効果的な方法は？

✖　　　　　　　⭕

反復練習で丸暗記

理解を深める

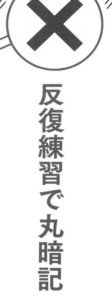

　何度もくり返して暗記するのは大事なことだね。だけど、残念なことに、理解せずに丸暗記したことは、記憶からすぐに消えてしまうことがわかっている。例えば、塾の授業で「光合成」について習ったとしよう。そのとき、「Q.光合成の材料は？」「A.水と二酸化炭素」だけだと、ただの丸暗記で弱い記憶になってしまう。せっかく勉強して覚えたことを忘れちゃうのはもったいないよね。

　そこで、勉強内容の理解を深めるためのテクニックを紹介するよ。それが、**学んだことに関係がある内容をどんどん付け足して、より深い説明をできるようにすること**。そうすると、しっかり理解して忘れにくい記憶になるんだ。

　先ほどの「光合成」で言えば、「光合成とは、二酸化炭素と水からでんぷんと酸素を作る働き」「光合成をするには、光が必要」「光合成は植物の葉緑体で行われる」「ふの部分では光合成ができない」といった感じで、ノートに思いついたことをどんどん書いていこう。

　そして、もうこれ以上説明できないと思ったら、テキストや授業中に書いたノートを見て、忘れていたことを書き足そう。最後に、自分が書いた説明を読み返して、わかりやすい言葉に書き直す。例えば、「ふの部分では光合成ができない」→「葉の白くなっている部分（ふ）では光合成ができない」など。

　こうした「説明内容をまとめる」という形にすると、一問一答クイズ形式で習ったことを教える以上に、さらに理解が深まって忘れなくなるので、とってもオススメ。確かに、色々な説明を考えてまとめるのは手間がかかるけど、その時間に対しての効果はバツグンだよ！

1 - 15

記憶に定着しやすい
テキストの読み方は？

❌ 静かに黙読

⭕ 音読　しっかりした声で

3代将軍の足利義満は〜

学生に暗記をしてもらう実験

　学校から教科書の音読の宿題が出されることって、あるよね。あれって面倒じゃない？　声に出さずに頭の中だけで読んだ方がラクだよね。だいたい音読って意味あるのかな？　実は大アリなんだ。**音読は黙読よりも読んだ内容を覚えやすくなる。**だから、せっかくテキストを読むなら、声に出しながら読んだ方が効率的でお得。

　そして、この音読効果をさらに高めるテクニックがある。それが、**「人に向かって音読する」こと。そうすることで、１人で音読するのに比べて記憶への定着がよくなるんだ。**

　このことが確認された実験がある。学生を対象に単語を暗記してもらったときに、「黙読をする」「唇を動かしながら黙読をする」「音読をする」「人に向かって音読をする」の４パターンに分けて比べてみた。その結果、単語テストの成績は「人に向かって音読をする」が圧倒的に高く、その次は「音読をする」、３位が「唇を動かしながら黙読」、最下位がただの「黙読」だった。

　1-13で「人に教えると学習効果が高い」という話をしたけど、あれは人にどう教えるか内容を整理して考えるから大きな効果が出るということだったよね。今回の話は、内容を整理するわけではなく、ただ音読するだけ。それなのに、自分１人で音読するより相手に読んで聞かせる方が効果が大きいんだから面白いよね。

　また、「人に教えるつもり」と同じく、「人に音読するつもり」でも効果があったようだ。お父さんお母さんが忙しくて音読を聞いてもらう相手がいない場合は、ぬいぐるみのクマちゃんが相手でも大丈夫なので、人や何かに向かって音読してみよう。

問題を解くとき、正確性が アップするのはどっち？

❌ 黙々とやる

⭕ 考えを声に出しながらやる

黙々

りんごが
5個だから
バナナの数は
7個だ！

もし全部つるだとすると
足の数2本×20羽で足が40本

実際の足の数は62本
だから22本足りない
ので22で割って…

問題を解きながら考えを言葉にすると正確性アップ！

「テキストを読むときには音読すると効果的」と言ったけど、実は問題を解くときも、考えていることを声に出すと効果が大きい。よく小さい子がひとり言を言いながら勉強したり、遊んだりしているよね。あれは、実はものすごく効率の良い勉強法なんだよ。

考えを言葉にしようとすると、思考を整理しなきゃいけないから自然と深く考えるようになるし、間違ったことを言ったときには自分で気づきやすくもなる。覚えられる量も正確性も上がって一石二鳥なんだ。

やり方は簡単で、普通に自分の考えていることをそのまま実況中継するだけ。例えば、算数の「つるかめ算」の問題を解く場合、「もし全部つるだとすると、足の数2本×20羽で足が40本になる。実際の足の数は62本だから、22本足りないので2で割って…」といった感じ。

やっている最中によくわからなくなったら、「今、引き算で出した22って数字は何だっけ？」「なんで2で割るんだっけ？」みたいに自分に問いかけるのも効果的だよ。学年が上がってきて、問題の条件が増えて複雑になると、途中で何をやっているかわからなくなることが結構ある。そんなときには声に出して再確認すると、自分の思考を整理できて、何をしたらいいか思い出せることが多いよ。

私も生徒から質問されたときに、「まず、どこまでわかっているかを教えてください」と言って説明してもらうと、こっちが教える前に「あ、わかりました」となって自分で解決しちゃうことが結構ある。それを自分でやる感じだね。

もちろんテストでやっちゃうとまずいけど、家で1人で勉強するときにはぜひやってみてね。

タイパのいい
苦手単元の克服法は？

❌ 1つの単元を
反復練習

⭕ 色々な単元を
混ぜて勉強

反復

単元
3

単元
3

単元
6

単元
3

単元
2

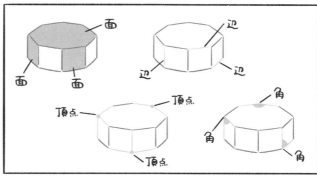

誰でも苦手な単元があるよね。テスト前は苦手を克服しようとするんじゃないかな。それは素晴らしいことだけど、やり方を間違えると、とてもコスパの悪い勉強になっちゃうので気をつけよう。実は、1つの単元を集中的に勉強するのはあまり良い方法じゃないんだ。このことは実験でも確認されている。

　その実験では、上図のような角柱の面・辺・頂点・角の数を求める計算方法を小学生に教えた。そして、4種類各8問ずつ合計32問の問題を解いて練習させた。

　そのとき、24人を2つのグループに分けて、問題を解く順序を少し変えてみた。半分の生徒は面・面・面…、辺・辺・辺…のように同じ種類の問題をブロックごとに解かせ、残り半分の生徒は面・角・頂点・面・辺・角…のようにランダムな順序で解かせた。まったく同じことを教え、まったく同じ問題を、まったく同じ数だけ解いたんだ。違いはただ1つ、問題を解く順序だけ。

　翌日、子どもたちに4種類の問題を1問ずつ出題するテストをした。すると、ブロック学習をしたグループの正解率は38％なのに対し、ランダム学習をしたグループの正解率は77％だった。正解率になんと2倍もの差が出たんだ。

　1つずつやる勉強方法って、そのときはわかったつもりになるけど、実際のテストだと高い点数を取れないやり方なんだ。だから、**苦手な単元を勉強をするときは、1単元ずつじゃなく、3〜4単元をまとめてランダムな順番で混ぜながら練習するといいよ。**

同じテキストを
何度も解くときのコツは？

✖

○

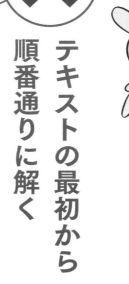

テキストの最初から
順番通りに解く

サイコロを振って
ランダムに解く

　1-17で、色々な単元をランダムな順番でやった方がいいと教えたけど、これは同じ単元の復習をするときにも活用できるよ。復習のために何度も同じページを解いて練習していると、その順番通りに解答を覚えてしまうことってあるよね。例えば、「(3) 台風」の次は「(4) 防風林」など、もう問題を見なくても答えがわかっちゃうような状態。

　丸暗記しちゃうくらいくり返し練習するのはとてもエライけど、これはせっかく覚えてもテストでは点が取れないパターンだから気をつけた方がいい。丸暗記状態だと頭を使わずに答えを出せちゃうので、ちゃんと脳が働かないんだ。

　そして、そういう覚え方をしたものは忘れやすい。せっかく時間をかけて勉強したのに、結局忘れてしまっては時間のムダでしかない。時間を有効的に活用するには、こういった悪いやり方ではなくて、良いやり方をしなきゃいけない。

　じゃあ、どうすればいいかというと、**勉強するときに問題を解く順番をバラバラにするのが効果的。暗記カードのようなものだったら時々シャッフルする、テキストの問題だったら最初から順に解くのではなく、適当に順番を変えて解いてみる。**サイコロを振ってどれをやるか決めるのもいいかもね。面倒でなければ、コピーしたものを問題ごとにシャッフルして、順番を入れ替えてもいいね。

　そうやって順番が変わると、流れ作業で覚えた解答を思い出せず、その都度「この問題って何だっけ?」とちゃんと考えることになる。そうすると、勉強したことが記憶にしっかり残るんだ。覚えられる量が増えてお得なので、ぜひ試してみてね。

マンガを使って歴史の勉強時間を減らすコツは？

✕ 学習マンガ「日本の歴史」を1巻から読む

◯ とりあえず『逃げ上手の若君』を読む

　歴史が苦手ならマンガを読んでごらん、と勧められたことはないかな？確かに学校の教科書や塾の教材より、「日本の歴史」の方が読みやすいかもしれないね。でも、多くの子には「日本の歴史」はそれほど面白くないはず。ジャンプやマガジンに連載されているマンガの方がずっと面白いよね。

　やっぱり人は「登場人物」を好きになり、その人物にまつわるストーリーで面白くなるんだ。歴史の勉強はそうしたストーリー抜きで、出来事と年号をひたすら覚えるだけになりがちなので、つまらない作業になってしまう。「日本の歴史」もやはり勉強のためのマンガだから、どうしても面白さよりも必要な情報の詰め込み優先になってしまうんだね。

　だからこそ、人物中心に描かれた歴史マンガで、1人にターゲットを絞って、その人についてくわしくなってしまおう。オススメは、「聖徳太子」「聖武天皇」「平将門」「源義経」「楠木正成」「織田信長」「豊臣秀吉」「徳川家康」「徳川吉宗」「坂本龍馬」といった有名人が主人公のもの。

　それでも読みにくいなら、『逃げ上手の若君』『ゴールデンカムイ』『応天の門』などの歴史テーマのマンガやアニメから入ってみよう。**自分がよく知る歴史上の人物ができると、その人が活躍した時代にもくわしくなる。そうすると、学校や塾の授業で習ったときに自分の知っていることとつながって理解しやすいし、楽しくなるよ。何よりも記憶に残りやすくなる。**

　人間の記憶メカニズムは、知識を単独で覚えようとするとすぐ忘れるけど、もともと知っていることとつながってネットワークになるとなかなか忘れなくなるんだ。とりあえず何度も読みたくなるマンガから入って、内容を覚えてしまおう。そうすれば勉強しなくても、授業を聞いているだけで記憶に残って、テストの点数が取れちゃうよ。

ややこしい知識を バッチリ覚えるコツは？

✕ 何度も解説を読み込む

◯ ストーリーを自分で作る

何度も読み込む

解説

STORY

　1-19で、歴史を覚えるときは1人の歴史人物にクロースアップしたストーリーを読むと、その人物を中心に様々なことを覚えられてオススメだと言ったよね。このストーリーで覚える勉強法は、他の様々な知識を覚えるときにも使えるんだ。

　例えば、小学生に生物進化の仕組みを教えるとき、三葉虫がどんな風に進化して絶滅したかをストーリー形式で説明したところ、普通に勉強するよりもバッチリ理解できたそうなんだ。やっぱりストーリー形式の方が面白いから、頭が働くんだろうね。だから、星座を覚えたかったら、元になっているギリシャ神話のストーリーを読んでみよう。

　ただ、ストーリーで勉強するのはとっても楽しくて効果的なんだけど、自分が勉強したい内容が都合よくマンガになっているとは限らない。というより、マンガになっていないことの方がずっと多い。じゃあ、どうしたらいいんだろう？

　そこでオススメなのが、**自分でストーリーを作ってしまうこと**。体の細胞が擬人化された『はたらく細胞』や、国が擬人化された『ヘタリア』など、人間じゃないものが主人公のマンガは色々ある。そういうのを真似すると、どんなものでもストーリーにできてしまうよ。

　実際に、「光合成」を勉強するときに、葉緑体という緑色の怪物が水と二酸化炭素を食べて、お尻からでんぷんと酸素を出している4コママンガをノートに書いていた生徒がいたよ。なかなかインパクトがあるよね。**笑っちゃうようなバカバカしい内容や、くだらない内容でOK**。むしろ、その方が記憶に残るので気楽に作ってみよう。絵を描くのは時間がかかって面倒なら、頭の中で考えるだけでも十分な効果はあるからやってみてね。

1-21

問題を解くのに
一番いいタイミングは？

× 説明や講義を聞いた後

○ 説明や講義を聞く前

after ┊ before

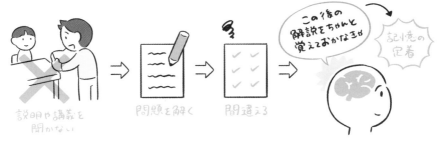

脳が最も学ぶのは間違えたとき

　勉強の流れって、だいたい先に説明や講義を聞いた後に、その内容を覚えているかどうか確認するために問題を解く、これが一般的だよね。このやり方は決して悪くなく、授業を聞いた後に問題を解くことはとても良い勉強法だ。でも、もっと良い勉強法がある。それが、説明や講義を聞く前に先に問題を解くこと。

　何も説明をされていない段階で問題を解こうとしても、必要な知識が足りなくて、きっと間違いだらけになるはず。でも、それでいいんだ。**間違えることで、私たちの脳は「この後に聞く解説はちゃんと覚えておかなきゃいけない」と思ってくれる。先に講義を聞くよりも記憶への定着がよくなるんだ。**「私たちの脳が最も学ぶのは間違えたとき」ということはぜひ覚えておこう。

　さらに、この「まずは問題を解いて間違えてから説明を聞く」という勉強法は、小学生よりも中学生・高校生・大学生の方が効果が大きかった。学年が上がるほど、土台となる基礎知識が増えるので、自分なりに試行錯誤しやすくなるからだろうね。

　がんばって考えてみるほど、説明を聞いたときの納得感も大きくなるので、より成長するんだと思うよ。この先、一生使える勉強法だからこそ、今のうちに習慣にしてしまおう。

　このメチャクチャ効率の良い勉強法を実践するためには、間違いを恐れずチャレンジできるメンタルが大切になる。「そもそも説明を聞いてないんだから、できなくても当たり前じゃん！」という気楽な気持ちを持つようにしよう。そして、どんどん問題を解いて、たくさん間違えるんだ。間違えた後で、正しい知識や解き方を覚えていこうね！

理解をより深める
意外な勉強法は？

✕

正解を何度も書いて
覚え込む

○

解ける問題を
わざと間違えて直す

わざと
間違え

直す

やりそうな
間違いだ！

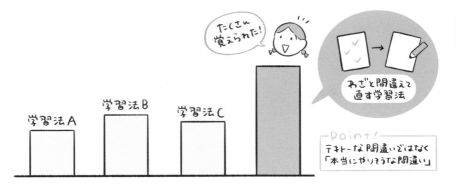

間違い直しをすることは、成績アップのために超重要なことはもう知っているよね。じゃあ、本来は正解できる問題をわざと間違えて直したら、それも勉強になるのかな？　それとも、答えがわかる問題を間違えたって、良い練習にはなるわけない？

実は、これも良い練習になる。**わざと間違えてそれを直す勉強法はとても効果的なんだ。**学生たちを対象にいくつかの勉強法を比べて、どのやり方が効果的かを調べてみた実験でも、わざと間違えてそれを修正する学習法は、他の学習法よりも勉強内容をたくさん覚えていた。しかも、その知識を他の場面で応用する力も身につきやすかったんだ。

ただし、なぜ、この勉強法が効果的なのかはまだよくわかっていない。わざとやりがちな間違いをすることで、正しい答えがより印象づけられるからじゃないか、と言われているよ。

確かに、私も「生徒たちがやりそうな失敗」を考えて授業の準備をすることがある。「生徒たちがどんな失敗をするか」を考えることは、単に正解が何かを思い出したり、考えたりするよりも頭を使っている実感があるね。だから、わざと間違えると記憶に残りやすくなるんじゃないかなと思うよ。

つまり、**この勉強法の効果をより高めるためには、「本当にやりそうな間違い」をちゃんと考えてみる方がいい**ということ。「テキトーな間違い」だと頭を使わなくてもできちゃうからね。

これからは、問題が簡単で「余裕で正解できちゃうなー」と感じたら、「もし勉強が苦手な子がこの問題を解いたら、どんな間違いをしそうかな？」と考えて、わざと間違えてみよう！

難しい星座の名前、
記憶に残りやすい方法は？

❌

⭕

とにかく星座名を
暗記する

星の並びを絵で描く

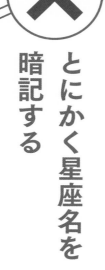

オリオン座　カシオペヤ座
しし座
はくちょう座　ペガスス座
てんびん座

　例えば、理科で「わし座」「はくちょう座」という言葉を習ったとしよう。そうすると、頭の中に「わし」や「はくちょう」のイメージが思い浮かぶよね。じゃあ、「オリオン座」「カシオペヤ座」という言葉を習った場合はどうだろう？　何が思い浮かぶ？　何も思い浮かばないかもしれないね。

　もし、君がギリシャ神話にくわしくて、カシオペヤが人の名前だとわかって顔が思い浮かぶようなら、「八分儀座」はどうかな？　さすがに意味不明じゃないだろうか。私も「八分儀」って、何のことかわからない（笑）。もちろん、どんなものかもイメージできない。

　実は人間は、前者のようなイメージできるものと、後者のようなイメージできないものだと、記憶への残り方が違う。「言葉」よりも「イメージ（映像）」の方が覚えやすく、忘れにくいんだ。ちょっと難しい言葉だけど、このことは「画像優位性効果」と呼ばれている。同じものを写真やスケッチ画を見て覚える場合と、文字で見て覚える場合とでは、写真やスケッチ画の方がたくさん覚えられるよ。

　だから、**勉強内容を忘れないようにするためには、言葉だけを丸暗記しようとせずに、その内容に関するイメージをセットで覚えるようにしよう。**「オリオン座」や「カシオペヤ座」の星の並びを絵に描くのはもちろん、元ネタになっているオリオンさん、カシオペヤさんの顔を想像して描いてみるのもいい。

　例えば、社会で農作物の生産量が多い都道府県を覚えるときも、言葉で「なすは高知県が１位」「ぶどうは山梨県が１位」と暗記するより、白地図に色々な野菜や果物の絵を描き込む。すると、「高知県ではなすを育てているのか」とイメージで覚えられるので、なかなか忘れない強い記憶になるよ。

2章

タイパUPする
学習計画

何を目標にすると効果的？

✖

○

結果を目標にする

行動を目標にする

　勉強でもスポーツでも音楽でも、成果をあげるためには目標設定が重要。なぜなら、人間のやる気はゴールがあって、自分の現在地がわかると、ゴールに向かって進もうというスイッチが入る仕組みなんだ。ゴールが存在しなければ、やる気は迷子になってしまう。

　じゃあ、目標を立てれば何でもいいかと言うと、そうじゃない。達成しやすい目標と達成しにくい目標がある。まずは、その違いから教えよう。

　人は「結果」を目標にしても、なかなか成果を出せない。ここで言う「結果」は、例えば「受験に合格する」「クラスアップする」などもそうだし、「模試で90点を取る」「偏差値60を取る」などもそう。

　また、「算数を得意にする」「計算力をアップさせる」などの身につけたい能力も「結果」と言えるんだ。もちろん、これらの目標もないよりはあった方がいいけど、正直言って効果は低い。

　それよりもずっと効果的なのが、「行動」に関して目標を決めること。例えば、「毎日3ページ問題集を解く」「毎朝30分勉強する」などだね。

　「結果」を手に入れるためには、どんな「行動」を積み重ねる必要があるかを考えて、それを目標にしてみよう。結局、「結果」は直接コントロールすることはできない。自分でコントロールできるのは、自らの行動だけということ。自分でコントロールできることに意識を集中すると、成功しやすくなるよ。

　ということで、「合格」や「クラスアップ」みたいな目標を思いついたら、「そのためには何をしたらいい？」と考えてみよう。そうやって、「行動目標」を決めてみてね。

行動目標はどう決めると成果が出やすい？

× 「やる時間」中心に行動目標を決める

◯ 「やること」中心に行動目標を決める

4時まで
がんばる！

2ページ
終わらせる！

　結果目標だけ決めても、成果は出にくい。その結果につながる行動は何かを考えて、行動目標を決めよう。ここまではわかってもらえたよね。

　次は、行動目標の中身について考えよう。行動目標は細かく分けると、「60分間算数に取り組む」のように「やる時間」で考えるパターンと、「算数ドリルを5ページ解く」のように「やること」で考えるパターンがあるよね。これはどっちの方がいいんだろう？

　もし君が勉強初級者なら、まずは「やる時間」中心に考えるのがいい。「やること」中心に考えても、何がどのくらいの時間でどのくらいできるかはまだわからないよね。それでは計画を立てにくい。だから、はじめのうちは、「この30分でできるところまで進もう」というように「やる時間」で計画を立てるといいよ。

　でも、**もし君がそれなりに経験を積んだ勉強中級者なら、「やる時間」じゃなくて、「やること」で目標を決めるのがオススメ。**なぜなら、時間だけしか決めていないと、イスに座って時間をやり過ごせば、それで目標達成になってしまう。

　そうすると、人間はどうしてもラクな方に流されて、ダラダラ勉強するようになってしまうんだ。それでは、達成したい結果目標には到達できないよね。だから、「やること」中心に目標を決めて、その上でだいたい何分くらいかかりそうか見通しを立てて、それに合わせてスケジュールを考えよう。

　さらに、その「やること」をどれだけ短時間で終わらせられるか挑むようにしよう。少しずつ早く終わらせられるようにしていこうね。

行動目標は
最後までつらぬくべき？

❌

⭕

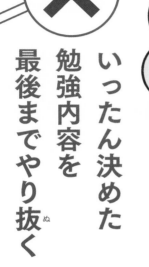

いったん決めた
勉強内容を
最後までやり抜(ぬ)く

決めた勉強内容が
効果的かどうかを
定期的に確認する

　成績を上げるためには、「偏差値60を取りたい」「○○中学に合格したい」といった結果目標を決め、その結果を手に入れるために行動目標を決めるといいと教えたよね。例えば、「理科で偏差値60を取ろう」と決めたら、「そのためにコアプラスを１冊やり切るぞ」「毎日30分理科の勉強をするぞ」など。そして、そうした目標や予定をちゃんとやれているか、進捗確認もしようということだった。

　それができたら、次のステップは効果の確認だ。**決めた行動目標を日々こなして、ちゃんと結果目標に近づいているのか、今のペースで期限に間に合うのか。**

　行動目標をこなしてきたことで、偏差値が着実に上がり、過去問で点数を取れるようになっているのであれば、それを続ければOK。でも、うまくいかない場合だってあるよね。なかなか成績が上がらないときにはどうしたらいいだろう？

　もしかしたら、やり方が悪いのかもしれない。十分な解き直しができていないから、せっかくやったことが記憶に残っていないのかもしれない。だとしたら、解き直しの回数を増やすように計画を変えないといけない。

　あるいは、教材の難易度が合っていないのかもしれない。もっと基礎的な問題集に変更する必要がある？　逆に、もっと難しい問題集に取り組む必要がある？　もしかしたら量が少ないのかもしれない。毎日30分じゃ足りないなら、50分に増やそうか？

　うまくいかない場合は、こんな風に改善策を考えて、行動目標を変えていこう。そうすれば、もっと効率よく勉強して成績を上げていくことができるようになるよ。計画を立てた後も、定期的に見直してみてね。

勉強の計画は
立てた方がいい？

❌

⭕

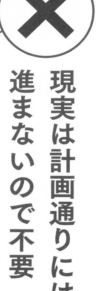

現実は計画通りには
進まないので不要

あらかじめ
計画を立てた方がいい

効率が
悪いなぁ…

計画通りに
できない

現実

計画立てた
方が効率が
いい！

　計画を立てるのって、めんどくさいよね。時間もかかるし、計画通りに行かないことも多い。計画を立てるなんて、ムダだと思う人も多いんじゃないかな。でも、それは大きな間違い。計画を立てることには、とても大きな効果があるんだ。

　まず、1つ目の大きな効果として、**計画を立てると時間になったらやる気になりやすい**。人間の脳はそういう風にできているので、君にも効果はあるはず。

　「やらなきゃいけない」と思っているのに、なかなかやる気にならず、ダラダラしているうちに時間が過ぎてしまった…これは時間がもったいないよね。やらなきゃいけないことをさっさと片付けて、その後に遊んだ方が時間の有効活用になる。「いつ」「どこで」「何を」「どれくらい」「どうやって」やるのか、可能な限り具体的に決めてみよう。

　そして、もう1つの大きな効果が、**計画を立てるとやることを絞り込めるので、それに集中できる**、ということ。やることを決めるということは、同時にその時間にはやらないことを決めることにもなる。これが集中力を高めるためにはとても大切なんだ。

　人間は何かをしているときも、つい他のことが気になりがち。例えば、算数の勉強をしていても、「漢字の勉強もやらなきゃなぁ」などと頭に浮かんでしまう。そうすると、せっかく算数の勉強をしているのに集中できないので、終わるのも遅くなるし、やったことも覚えられなくて損なんだ。

　計画を立てて、「国語は明日やる」とか、「国語は算数が終わってからやる」と決めると、算数をやっているときには国語のことは頭から追い出せる。面倒でもやる価値はあるので、計画は必ず立てるようにしようね。

勉強の計画は
どう立てるといい？

❌

親が綿密に計画する
子どもが勉強に
集中できるよう

⭕

親が手伝いつつ、
できる範囲で
子どもが決める

お母さんが
計画立ててあげる！

こんな感じで
いいかな？

どれどれ…

　さて、計画を立てるとやる気も出るし、目の前の勉強に集中できて効率もよくなる。計画は立てた方がお得だということがわかったよね。

　でも、最初はやっぱり上手に計画を立てるのは難しい。1週間の中でどんな宿題が出て、それぞれ何分かかるのか把握するだけでも大変だよね。だから、慣れないうちはお父さんやお母さんに手伝ってもらいながら計画を立てるようにするといいよ。ただし、全部まかせっきりはよくない。なぜなら、**人は自分で決めることによって、決めたことに対する「やらなきゃ！」「やりたい」という気持ちがわく**からなんだ。

　例えば、読書好きな子でも夏休みの宿題として「この本を読みなさい！」と指定されると、読書感想文を書くのはイヤだなと感じることが多いよね。人は何かを強制されることが嫌いで、自分で選んだり決めたりするとやる気がわくもの。

　だから、全部を決めるのは難しいとしても、できる範囲内で自分で決めていくようにしよう。「何をやるか」を決めるとき、やることの候補をお父さんやお母さんにリストアップしてもらえば、その中からやる順番を決めることくらいは自分でできるよね。

　また、今日やること・明日やること・明後日やること…を決めたら、その次のステップとして、それぞれ何時からやるかを決めることもチャレンジしてみよう。予定通りに行かなくても落ち込まなくて大丈夫。その予定はうまくいかないとわかったら、次の週の予定を変えればいい。もちろん、同じ予定でもう一度チャレンジしてみてもいい。

　そうやって計画を立てることに少しでも関わると、やる気が上がって捗るよ。

成績アップのために優先すべき課題は？

❌ 緊急度(きんきゅう)の高い課題

⭕ 重要度の高い課題

緊急度

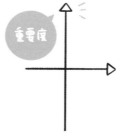

重要度

　毎日やらなきゃいけない勉強って、いっぱいあるよね。学校や塾から宿題が出されるし、テストがあったら解き直しもしなきゃいけないし、苦手な単元を克服するための勉強もしなきゃ…。挙げていったらキリがないので、「全部終わらせるのは無理だ！」ってなることもあるよね。

　そんなときにはどれかをあきらめて、どれかを優先的に片付ける決断をしなければいけない。でも、どうやって優先順位をつけたらいいんだろう？

　多くの子がやりがちなのが、緊急度の高い課題を優先してしまうこと。例えば、「明日提出の宿題」を優先しちゃう。気持ちはとてもよくわかる。だって、明日までにやらなきゃいけないんだから、急いでがんばらないといけない。

　でも、そうすると、もっと重要度が高い課題が後回しにされることになる。そして、次の日もまた緊急の宿題、また次の日も緊急の宿題をくり返していくと、重要度が高い課題は結局やらないまま終わることになる。

　わかりやすいイメージでたとえると、「明日までに急いで終わらせたら100円もらえる課題」に毎日必死で取り組み、「急ぎじゃないけど終わらせたら1000円もらえる課題」が手つかずで放置されているような感じ。これ、メチャクチャもったいないことをしているのがわかるかな？

　こんな風にならないようにするためには、**あらかじめ1週間や1か月など、ちょっと長い目で見た目標や計画を決めること**。そして、**つい後回しにしがちな、緊急度は低いけど重要度が高い課題を優先的に予定に組み込もう**。緊急度が高くても、重要度が低いと判断した課題には手を出さないという作戦も効果的だよ。しっかりメリハリをつけようね。

モチベーション＆パフォーマンス が高まる計画の立て方は？

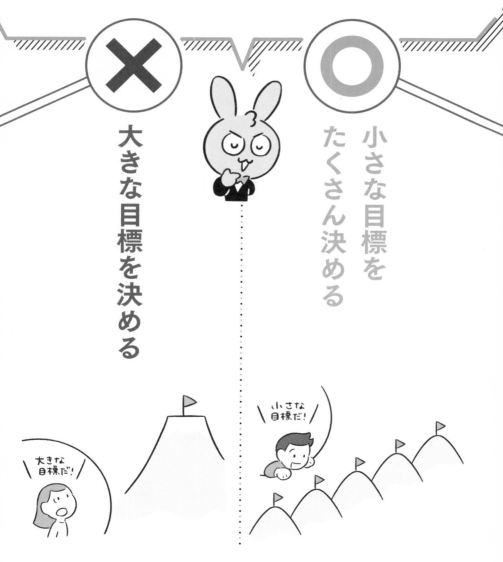

大きな目標を決める

小さな目標をたくさん決める

大きな目標だ！

小さな目標だ！

　計画を立てるとき、「算数の勉強を10ページやる」みたいな大きなかたまりで考えてしまう子が結構いる。でも、これは典型的なダメ計画なんだ。

　なぜなら、大きなかたまりで目標を立ててしまうと、「やるのが大変そう…」と感じてしまい、やる気が下がるからなんだ。4-8でまたくわしく話すけど、人間は「大変そうだなぁ」といったイヤな気持ちを感じると、そのイヤな気持ちから逃げるために、ついつい先延ばしにしてしまう傾向がある。

　だから、**計画を立てるときは、「これくらいならすぐにできるぞ」と思えるように、5～10分くらいでさっと終わらせられる小さな課題に細かく分解するのがオススメ**。つまり、「10ページやる」ではなく、「1ページやる×10」に分解しちゃうってことだね。そして、1ページが終わるたびに細かく休憩をはさむといいよ。こうやって1つひとつの課題を小さくすると、集中力が高まって早く課題を終わらせられるようになる。早くなるだけじゃなくて、正確性もアップする。終わりが見えると、「ラストスパート」って感じでやる気が高まるからだね。

　実際に大学生たちに参加してもらった実験でも、注意力が必要な課題をやってもらうときに「あと〇回で終わりですよ」と教えてもらいながらやったグループは、何も教えられなかったグループよりもモチベーションが高く、パフォーマンスもよかった。そして、その傾向は作業が終わりに近づくほど強くなったらしい。**終わりが見えると、やる気も集中力も高まる**ってことがよくわかる。

　ということは、課題をすぐ終わるレベルに細かく分解してしまえば、このやる気・集中力アップボーナスをたくさん得られる。早く正確に勉強をこなしたいなら、課題は細かく分けるようにしよう。

集中力が切れにくい
学習計画の立て方は？

❌ 1日1科目ずつ
集中的に勉強

⭕ 色々な科目を
交互（こうご）に勉強

集中！

算数

1日1科目

算数　理科　国語

交互に

人間はバランスを考えるのが苦手。計画を立てることになったら、「この日は算数」「この日は国語」みたいにする方がラクだから、ついそうしたくなっちゃう。でも、こういった単純な計画の立て方をすると、残念ながらはかどらない。

人間は長時間同じ課題に取り組んでいると、だんだんと飽きてきて、どんどん集中力が下がっていく。だいたい30分もすれば集中力が切れ、スピードも遅くなる。必要以上に時間がかかるし、間違いも多くなる。そんな感じでダラダラと勉強していたら、時間のムダになってしまってもったいないよね。

じゃあ、どうしたら良いかというと、課題を切り替えていくこと。これは、「タスクシフト」というとても大事なテクニックだから覚えておこう。2-7で「課題は細かく分けた方がいい」という話をしたけど、**細かく分けた課題を色々と組み合わせてスケジュールを決める**といいよ。

例えば、1週間分の課題「算数テキスト10ページ」「計算6ページ」「漢字6ページ」「理科3ページ」「社会3ページ」があったとしたら、それぞれ1ページずつに分解した上で、「今日は算数テキスト2ページ、計算・漢字・理科を1ページずつやる」という風にする。そうすると、1つの課題が終わって次の課題に切り替えると、モチベーションが回復してパフォーマンスもよくなるんだ。

「短時間で勉強を終わらせて早く遊びたい!」と思っていても、やっぱり人間は飽きると集中力が切れてしまうもの。飽きないようにするための工夫として、このテクニックをぜひ使ってみてね。

学習計画を立てた後はどうすればいい？

❌ 最初の計画重視で突き進む

⭕ 進捗状況をチェックして計画を修正して進める

最初に立てた計画

進捗 check!
計画の修正

ダラダラ勉強して長引いた

問題が難しく時間がかかった

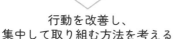

行動を改善し、
集中して取り組む方法を考える

計画を修正して改善する

　計画を立てて勉強することは大切だけど、それと同じくらい大切なのが計画の進捗状況のチェック。予定通り進んでいるのか、遅れているのか、それとも予定より早いのか。終わったことをしっかり確認するようにしよう。なぜ、これが大切かというと、予定がどれくらい終わったかを確認することで、改善していくことができるからなんだ。

　ハッキリ言って、予定通りに勉強が進むことなんて、まずありえない。予定がズレることの方が普通なんだ。そして、そのズレた原因を考えて改善していくことで、効率よく勉強できるようになる。

　例えば、もし勉強時間が予定より長くなったとしよう。その理由が「ダラダラ勉強していたから」なら、次から自分の行動を改善し、集中して取り組む方法を考えなきゃいけないよね。

　それに対して、「問題が難しかったり、量が多かったりして、がんばったけど見込みより時間がかかったから」なら、計画の方を修正して改善した方がいいということになる。「たまたま今日は気分が乗って予定より多くやったから」なら、来週も同じ気分とは限らないからそのままでいいかもね。

　逆に、勉強時間が予定より短くなった場合は、「集中したから」なら来週も続けられるようにがんばろうって話だし、「予想より簡単だったから」なら、次から予定を修正しようってことになる。

　進捗状況を確認して振り返ると、自分の行動も勉強の計画も、どんどん改善していくことができる。そして、効率よく時間を使って勉強を進められるし、遊ぶ時間を増やすこともできるようになる。こまめに進捗状況をチェックしようね。

3章

タイパUPする
学習環境

勉強モードに入れないとき、どうすればいい？

❌

⭕

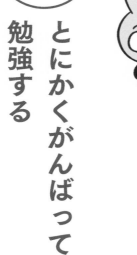

とにかくがんばって勉強する

勉強しやすい環境を作る

やるぞ！

勉強中は誘惑アイテムを他の部屋に！

　脳科学の研究によると、人間の脳には「決断をする部分」と「感じたままに行動する部分」があるんだ。この「感じたままに行動する部分」が、私たちの行動により大きな影響を与えている。私たちは自分で決めて行動しているようで、実は周囲から影響を受けて感じたままに行動していることが多いんだ。

　だから、自分の行動をコントロールしようとするより、外部環境をうまく使って自然と良い行動を選ぶようにする方がずっとラク。**もし勉強がつらいと感じているなら、君が勉強をイヤだと思っているせいだけじゃない。きっと周囲にそう感じさせる何かがあるはず。**それは部屋にあるタブレットやスマホかもしれないし、マンガやゲームかもしれない。それらが近くにあると、君の脳は誘惑されて遊びたいと感じてしまうんだ。だから、勉強の間だけは遊びたくなる物を別の部屋に置くとか、勉強机を整理するとか、集中できる環境を作ろう。そうすれば、勉強への心のハードルがグッと下がる。

　時間を決めて勉強するのも大事だよ。「今から30分だけ勉強する」と決めて集中すれば、その30分は勉強のための時間だと脳が理解してくれる。また、「決断疲れ」を防ぐために、選択肢を少なくすることが有効だよ。何をするか迷ってばかりいると、選択にムダなエネルギーを使ってしまう。だから、毎日同じ時間に同じ場所で勉強すると決めてしまえば、習慣になって自然と勉強を始められるようになるよ。

　これからは、「意志力」より「環境」を変えることに注力してみよう。**今日から始められることは、日常の中で何が勉強の邪魔をしているかを見つけること。**それを見つけたら、その邪魔を減らす方法を考えてみてね。君ならきっとできるよ！

家以外の集中しやすい場所は？

✕ ⭕

仲良しの友達の家

集中している人たちがいる場所

集中力は感染する

　勉強が好きな子なら、どんな場所でも集中して勉強できるだろうけど、そうじゃない子の方がきっと多いよね。特に家だと誘惑が多く、なかなか集中できないことも多い。集中しにくい場所でがんばるよりも、集中しやすい場所に移動する方が、移動時間がかかったとしても結局はラクなことが多いよ。

　じゃあ、どんな場所がいいかというと、やっぱり集中して勉強している人が多い場所になる。例えば、図書館や塾の自習室など。そういう場所に集中して勉強している人がいると、無意識に自分も集中できるんだ。これは、「目標感染」や「情動感染」と言われるよ。周囲の人がやろうとしていること、感じている気持ちが自分にも伝わってくるんだ。君も経験があるんじゃないかな？

　周囲にイライラしている人がいると、自分までイライラしてイヤな気持ちになるよね？　誰かがおいしそうなものを食べていると、自分も食べたくなったり、誰かが楽しそうな遊びをしていると、自分もやりたくなったりする。また、授業中に騒いでいる子がいると、自分も一緒になって騒ぎたくなる。だから、**集中して勉強している人のそばにいると、自分も自然と同じように集中できてしまうんだ。**

　この"感染"は仲のいい友達同士だと、より起こりやすい。だから、集中力が低くてダラダラ勉強したり、おしゃべりしながら勉強したりする友達だと、とても危険だ。どんなに仲良しでも、そういう子とは一緒に勉強してはいけない。集中している人たちがいる場所に行くようにしよう。

　逆に、自分がそういう悪い勉強のやり方をしていると、友達を不合格に引きずり込むことになるので、気をつけたいね。

特に集中力が高まる
学習環境は？

いつもの教室

自然の中

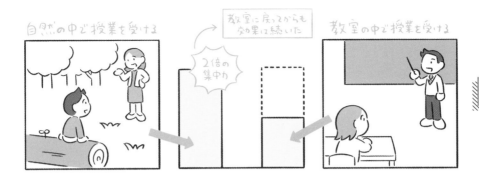

　人間は環境の影響を受けているので、集中しにくい環境でがんばるよりも、集中しやすい環境に移動したり、環境を集中しやすく整えたりする方がラクだってことはわかってもらえたかな。

　今回は、人間が特に集中力を発揮しやすい場所について教えよう。なんと、それは「自然の中」なんだ。人間は自然の中に行くと、ストレスが解消されたり、健康になったり、とても良い影響を受けるという話は有名だよね。

　それだけじゃなくて、**自然の中に行くことで勉強に対する集中力も高まるんだ**。集中力がアップすれば、勉強は早く片付くし、勉強内容も忘れにくいし、とってもいいよね。

　実際に、小学生の子どもが自然の中で授業を受けた場合と、教室で授業を受けた場合を比べた実験では、自然の中で授業を受けた生徒たちは教室の生徒に比べて2倍も集中力が持続した。先生が「おしゃべりしないで！」といった注意をする回数もほぼ半分に減り、中断することなく授業をすることができたそうだ。授業中にうるさくて注意される子は君の周りにもいると思うけど、自然の中に行くだけでそういう悪い行動が減るって、すごいよね。

　しかも、この効果は自然の中だけじゃなくて、教室に戻ってからも続いていたという。週に1回自然の中で勉強すると、教室に戻ってからもずっと集中できるようになるらしい。超お得だから、君もぜひやってみよう。

　大きな川の河川敷や大きな公園、自然がたくさんあって勉強できるところを探してみよう。そして、自然の中で簡単な勉強や読書などを気楽にやってみてね。

成績が上がる勉強姿勢は？

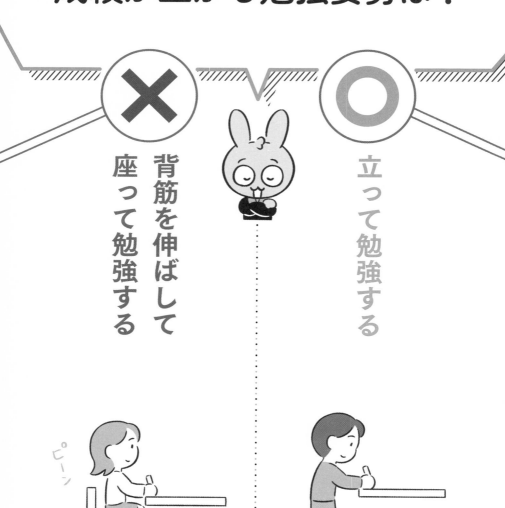

❌ 背筋を伸ばして座って勉強する

⭕ 立って勉強する

ピーン

　学校でも塾でも、普通はイスに座って勉強するよね。それが当たり前だけど、もし「立って勉強した方が頭が良くなる」って言われたらどう思う？

　最近は勉強の前後に運動すると脳機能がアップしたり、勉強したことが記憶に残りやすくなったりするという研究結果がたくさん出ている。さらには、「勉強中も身体を動かしたらいいんじゃないの？」という研究結果もあるんだ。とはいえ、歩いたり走ったりしながら勉強するのってちょっと難しそうだよね。じゃあ、立って勉強するのはどうだろう？

　これについては、肥満解消のために立って勉強したという実験があるんだけど、あわせて勉強の効果もチェックしたところ、学習効率がよくなったらしい。

　小学生を対象にした研究だと、作業の進み方が速くなったり、授業への参加が積極的になったり、ムダ話が減ったりという効果があったんだ。高校生を対象にした実験でも、スタンディングデスクを使った学生たちは、脳機能が大きく向上してIQも高くなっていた。スタンディングデスクを使うことで脳の血流がよくなり、脳機能の向上につながったんだね。

　脳がよく働く状態になったら、自己コントロール力も高まるし、勉強内容を理解することも記憶することも、いつもより短時間で効率よくできるようになってお得だね。だから最近は、私も立って読書をするようにしているよ。わかりやすく実感できるほどの効果はないけど、きっと記憶に残る量は増えていると期待している（笑）。

　この勉強法はさすがに学校や塾ではやれないけど、家だったらできるチャンスがあるかもしれない。私と同じように、読書は立ってするのもいい。リビング・ダイニングのテーブルで、イスを使わなくても大丈夫そうな高さだったら試してみてね。

3 - 5

テレビやスマホで動画を見ながら勉強するとどうなる？

❌ 気が紛(まぎ)れて勉強しやすくなる

⭕ 学習効率が相当下がる

気が紛れる…

\やる気出た！/

学習効率DOWN

94

全教科平均偏差値
50に届かない

全教科平均偏差値
50を超える

　勉強をしやすくするためには、環境を整えることが重要だということは3-1で伝えた通り。じゃあ、勉強がつまらない時に気を紛らわすために、テレビやスマホで動画を見ながら勉強するのはどうだろう？　勉強しやすくする工夫としてはアリかな？

　結論から言うと、これは絶対にやってはいけない！　学習効率がメチャクチャ下がるんだ。

　「動画を見ながら勉強」がどれくらい最悪なのかは、仙台市教育委員会が仙台市の小中学生約７万人を対象とした大規模調査の結果

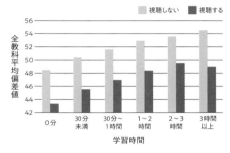

からよくわかるよ。仙台市教育委員会は何年にもわたってこの調査を行っているけど、調査結果を分析したところ、**動画を見ながら勉強している子たちの成績が悪いことがハッキリとわかったんだ**。しかも、たくさん勉強しても成績が悪いなんて、最悪だよね。

　例えば、動画を見ながら勉強している子は、１日の勉強時間が３時間以上でも全教科の平均偏差値が50に届かない。それに対して、動画を見ずに勉強している子は、１日の勉強時間が30分未満でも全教科の平均偏差値が50を超えている。

　「動画を見ながら勉強」を３時間以上やっても、「動画を見ずに勉強」を30分未満の子より成績が低いなんて、恐ろしくタイパが悪いよね。

　もちろん、動画以外の「ながら勉強」も同じくダメだった。勉強するときは、絶対に「ながら勉強」をせずに集中しよう。

勉強中のタイパを高めるため、スマホはどうするべき？

✕

部屋の視界に入らないところに置いておく

◯

電源をオフにする

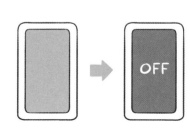

OFF

「動画を見ながら勉強」はタイパが悪くなることはわかったよね。じゃあ、動画を見なければOKだろうか？　実はそうじゃない。タイパの良い勉強をするためには、勉強中はスマホの電源をオフにしなきゃいけない。

なぜなら、**スマホは近くにあるだけで集中力が下がって勉強の効率が悪くなる**からなんだ。ゲームや動画のアプリを使わなかったとしても、友達からLINEなどのメッセージが届くことがある。そして、その通知の音や光で集中力が落ちるんだ。

実際に東北大学加齢医学研究所が、実験でこのことを確認しているよ。大学生に集中力が必要な作業をしてもらったときに、スマホを背後の視界に入らないところに置き、「課題中はスマホを触ってはいけません」と指示。そして、作業中にLINEの通知が来たらどうなるかを観察したんだ。音が鳴ると気になって集中力が下がるのは当たり前なので、アラーム音が鳴った場合とも比較。その結果、通知音が鳴ったときは、アラーム音が鳴ったときと比べても作業の速さ・正確さが落ちた。通知音がすると、気になってしまって作業が手につかなくなることがよくわかるね。**メッセージアプリの使用時間とテストの成績の関係の調査でも、使用時間が長いと成績が低い傾向があるよ。**

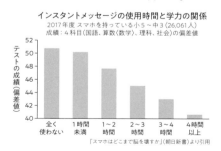

インスタントメッセージの使用時間と学力の関係
2017年度 スマホを持っている小5～中3 (26,061人)
成績：4科目 (国語、算数〈数学〉、理科、社会) の偏差値
『スマホはどこまで脳を壊すか』(朝日新書) より引用

勉強中にスマホを使わなくても、通知音がするだけで勉強がはかどらなくなるのは意外じゃないかな。タイパがとても悪くなるから、勉強中はスマホの電源を切るようにしよう。

根気強く勉強できる
机の状態は？

✕ すぐ手に取れるように　テキストが山積み

◯ 整頓（せいとん）されている

すぐ手に取れる！

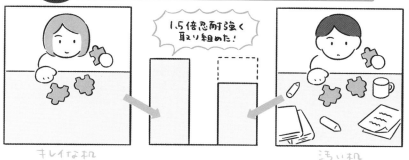

実験 シカゴ大学の学生たちにパズルに取り組んでもらった

1.5倍忍耐強く取り組めた！

キレイな机　　　汚い机

勉強中は、誘惑になるようなゲームやスマホを学習環境に持ち込まないことが大事だとわかったよね。じゃあ、勉強に関係があるものだったらいいんだろうか？　テキストやノート、プリントが机の上や周囲に散らばっていたり、棚がグチャグチャだったりして、お母さんから「ちゃんと片付けなさい！」と叱られる子は多いよね。

でも、どうせすぐ使うんだから、机の上に散らばっていてもいいじゃないか。むしろ、すぐに手に取ることができて便利だから、片付けなんて必要ないよ。そんな風に思う子もいると思う。

そこで、キレイな机と汚い机を比べてみた実験があるので、結果を見てみよう。シカゴ大学で学生たちにキレイな机と汚い机でパズルに取り組んでもらった。その結果、キレイな机で取り組んだ場合の方が、汚い机で取り組んだ場合よりも1.5倍くらい忍耐強くパズルに取り組むことができたんだ。**机が汚いとすぐに集中力が切れて、やる気がなくなっちゃう**ということだね。

遊び道具がすぐそばにあるだけじゃなくて、勉強道具が散らばっていても、人間のやる気と集中力は下がるというんだから不思議だよね。いかに人間は周囲の環境から影響を受けやすいか、ということがよくわかると思う。勉強しようと思ってもなかなか集中力が続かない子は多いけど、その子が集中力がないダメな子ってわけじゃない。環境がダメだから、本来の能力を発揮できていないことが多いんだよ。本当にもったいないよね。

あらためてだけど、**環境を整えるだけで君のやる気と集中力は高まり、同じ勉強時間でも密度の濃い勉強ができるようになるよ**。ここまで伝えてきたことを踏まえて、まずは学習環境を整えることから始めよう。

3
タイパUPする学習環境

3 - 8

覚えられる量が
増える勉強場所は？

✖

⭕

いつも決まった部屋

色々な部屋

ミシガン大学の実験

　人間は勉強したことをどんどん忘れていくので、反復練習をすることが大事。このことはもう話したよね。そして、この反復練習をいつやるかによって効果が変わってくることも話した。今回伝えたいのは、勉強をする場所によっても覚えられる量が変わるということ。場所によって覚えられる量が変わるって、ちょっと意外だよね。

　ミシガン大学の研究者たちが、同じ部屋で同じ内容を2回勉強したグループと、違う部屋で同じ内容を1回ずつ勉強したグループの成績を比較する実験をしたんだ。勉強の効果を確認するために40点満点のテストを行ったところ、同じ部屋で勉強したグループの平均点が16点だったのに対して、違う部屋で勉強したグループの平均点は24点だった。同じ時間をかけて同じ量の勉強をして、覚えられた量に大きな違いが出るなんて驚きだよね。どうせ勉強するなら、たくさん覚えられる方法がいいに決まっている。

　どうしてこんなことが起こるかというと、実は**人間の記憶はその内容を学習したときの背景情報がセットで無意識に刷り込まれるから。学習した環境と似たような環境でテストを受けると、背景情報がきっかけになって、思い出しやすくなるんだ。**背景情報が「ほら、あのときあの場所で勉強したやつだよ」ってヒントをくれるようなイメージだね。

　環境を変えて学習を行うと、1つの内容にひも付けられる背景情報のバリエーションが増えるので、テストをする部屋に似ている何か（例えば、机や壁の模様かもしれない）がある可能性が高まる。要するに、ヒントがたくさんある状態でクイズを解くような感じになるんだ。だから、学習した部屋とはまったく似ていない環境でテストを受けても、点数が高くなる。これからは、解き直しをするときには別の場所でするようにしよう！

成績アップのためには教材をどう選ぶ？

❌ たくさん買い集める しっかりリサーチして

⭕ 教材を絞(しぼ)り込(こ)む

オススメ！
人気NO1!
Research

これとこれに決めた！

これに決めた！

30人/100が購入

悩むなぁ…

3人/100が購入

　勉強をするとき、色々な教材を勧められることがあるよね。「A君はあの教材を使って受験に合格したらしいよ。Bさんはこの教材をオススメしていた」。そういう話を聞くと、ついつい買いそろえたくなってしまうものだと思う。

　でも、これはとてもまずい状況と言える。なぜなら、**人は選択肢が多すぎると、どれを選ぶのか悩むのにエネルギーを使ってしまってやる気がなくなったり、そもそも選ぶのを先延ばしにして何もしなくなってしまったりする**からなんだ。

　これに関しては、ちょっと面白い実験があるよ。スーパーのジャム売り場でジャムを試食してもらって、どれくらいの人がジャムを実際に購入するか調べた。このときに、ジャムの種類数を変えてみて、購入者がどれくらい違うか比べてみた。

　その結果、ジャムが6種類のときは100人中30人がジャムを購入したのに対して、ジャムが24種類に増えると100人中3人しかジャムを購入しなかったんだ。なんと10倍もの差がついた。

　これは「選択肢の矛盾理論」と呼ばれている。人は選択肢がたくさんあると、迷って決断しにくくなってしまうんだね。迷って決断を先延ばしにして何もやらなかったら、成績は上がらないよね。

　選択肢が多いほど、それだけ「自分に合ったもの」を選べる可能性は高くなると思うかもしれない。だから、良い教材を求めてたくさん買い集める人が多いけど、裏目に出てしまう可能性がとても高いんだ。そんな残念な結果にならないようにするためのシンプルな方法は、教材を絞り込むこと。色々と手を広げすぎず、「これをやる！」と決めてやり込もう。

オンライン授業の
メリット・デメリットは？

デメリット

対面授業より
満足度が低く、
集中しにくい

メリット

対面授業と
同じくらい
学習効果が高い

集中力

Down

学習効果

UP!

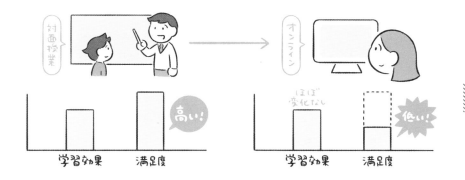

　新型コロナのせいで一斉休校になって、オンライン授業を受けたことがある子は多いんじゃないかな。それ以来、オンラインで個別指導を受けたり、動画で授業を視聴したりするサービスが増えたよね。

　でも、こういうサービスって、はたして学習効果はどうなんだろう？もし、ちゃんと勉強できるなら、オンラインだと移動もないし、タイパが良いよね。

　これに関しては、やっぱり興味を持つ人が多く、色々と研究が進んでいる。それによると、**オンラインでの学習効果は、教室の対面授業と比べてもほとんど変わらなかった**。むしろ、テストしてみるとオンラインの方が成績がちょっと良かったほど。

　でも、面白いことに**勉強に対する満足度は対面授業の方が高かった**。画面越しに授業を受けたり、見たりするのは、やっぱりあまり面白くないんだろうね。

　実際に小学生に指導をしている実感としては、一部の意識が高く積極的に授業参加する子は、オンライン授業でも教えたことを問題なく理解できているなと感じる。でも、**多くの子たちはオンラインだと授業に集中できなくなる**。授業中に指しても、すぐに聞かれたことに答えられず、「ちゃんと聞いていなかったんだろうな…」というのがわかる。

　まぁ、そんなことを言う私自身も、勉強会に参加するときにはオンラインだと集中できなくて、できるだけ会場に行くようにしているくらいなので、気持ちはわかるんだけどね。

　もし、君が勉強好きで、オンラインでもちゃんと集中できるんだったら、オンライン動画を積極的に活用してみてね。

3-11

授業動画の倍速再生、何倍まで覚えられる？

✕ 2.5倍

○ 2.0倍

覚えられない…

2.5倍

覚えられる！

2.0倍

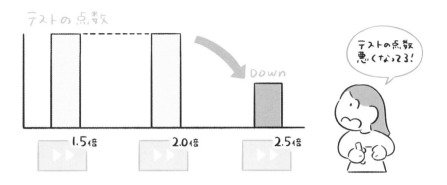

　いまどき、中学受験でも高校受験でも大学受験でも資格試験でも、授業を動画で視聴できるサービスがたくさんあるよね。なかなか集中できなかったり、ついため込んじゃったりするのがデメリットだけど、やっぱりいつでも見られるメリットは大きい。家で見られると移動時間がなくてラクなので、上手に活用していきたいもの。

　ところで、こういう動画授業って、再生速度を変えられることが多い。スピードアップすれば、見るのにかかる時間が短くなる。でも、見た内容を覚えられなくて、結局もう一度見ることになるんだったら意味がないよね。

　はたして、倍速再生ではちゃんと中身を理解して覚えることができるんだろうか？

　これに関して、**大学生を対象に実験してみたところ、1.5倍や2.0倍で動画を視聴した場合でも、通常速度で再生した場合とテストの点数は変わらなかったんだ。でも、2.5倍までスピードアップすると、点数が悪くなった。**2.5倍以上の再生速度だと理解できなくなっちゃうんだね。

　もちろん、これには個人差があるから、誰でも2.0倍まではOKということではないと思う。それに、視聴する動画の内容にもよるかもしれないよね。ふだん見ているYouTube動画でも、2.0倍で大丈夫なチャンネルもあれば、1.5倍じゃないと内容がよくわからないチャンネルもあるでしょ？

　いつも見ているYouTubeやその他の動画の視聴速度と同じくらいを意識しつつ、自分でちゃんとわかるスピードにしておこう。そうすることで、うまく倍速再生を活用して短時間で勉強を終わらせられるといいね。

音楽を聴いて勉強の
やる気を引き出す方法は？

❌ 音楽を聴きながら
勉強する

⭕ 勉強する前に
音楽を聴く

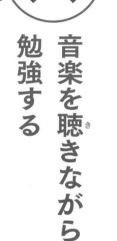

before

\ テンション
up /

実験 実際に音楽を聴きながら勉強したらどうなるか

集中力が低下し、ミスも増え、
勉強したことを覚えられなかった

　音楽を聴きながら勉強するのってアリ？　ナシ？　動画を見ながらの勉強に比べればマシな気がするけど、どうなんだろう？　そこで、実際に音楽を聴きながら勉強したらどうなるかという実験があるよ。

　その結果、集中力が低下し、ミスも増え、勉強したことを覚えられなかった。リラックスして勉強できるようになる人もいたけど、リラックスできることと、勉強に集中できるかどうかは別問題だったということだね。

　特に、国語や英語など言語的な勉強をしているときに、歌詞のある音楽を聴くのが最悪の組み合わせ。歌詞に邪魔されて、ちゃんと考えることができなくなっちゃうんだ。せっかく勉強したのに間違いだらけ＆覚えられないというのは損だよね。成績調査でも、勉強中に音楽アプリを使っている子は、動画アプリやLINEを使っている子ほどじゃないけど成績が悪かった。

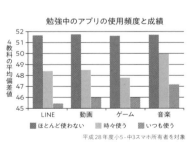

勉強中のアプリの使用頻度と成績

4教科の平均偏差値

■ ほとんど使わない　■ 時々使う　■ いつも使う

平成28年度小5-中3スマホ所有者を対象

　ただ、歌詞がない音楽の場合は、慣れれば大丈夫だったということ。だから、どうしても音楽を聴きたいなら、クラシックやジャズにしておくといいよ。

　それよりももっとオススメなのが、勉強の前に好きな音楽を聴くこと。どうせなら、自分の好きな音楽を聴きたいよね。実際、好きな音楽を聴くと、ドーパミンというやる気を高める神経伝達物質が分泌されるらしい。**これから勉強へのやる気と気合いを高めなきゃいけない時、まずは好きな音楽を聴いてテンションを上げていくというのは効果的な方法なんだ。**音楽を上手に活用しよう。

勉強していて
不安なときの対処法は？

❌ 他のことを考えて
不安な気持ちを忘れる

⭕ 不安な気持ちを
言葉にする

不安

他のことを
考える

不安を言葉に出す

試験に失敗したら
どうしよう…

　試験の前に「失敗したらどうしよう？」って不安な気持ちになることってあるよね。特に、受験のような大事な試験だと、その不安はより大きくなる。不安のせいで本来の実力を出せず、いつもはできる問題を間違えちゃうなんてことはあるあるだ。不安な気持ちがあると、脳がしっかり働かなくなっちゃう。

　これはふだんの勉強でも同じことが言える。試験に向けて不安な気持ちを抱えたまま勉強しても身につかず、せっかくの勉強時間がムダになってしまう。もったいないよね。

　そこで大事なのが、不安な気持ちへの対処法。**不安な気持ちを感じたときには、抑え込もうとしたり、我慢しようとしたり、忘れようとしたりする人が多い。**

　でも、そうした感情のコントロール方法は間違っているんだ。残念ながら、こういうやり方だと不安な気持ちは消えてはくれない。

　じゃあ、どうしたらいいかというと、不安な気持ちを受け入れること。**例えば、「今、自分は不安を感じている」と言葉にしてみてもいいし、紙に書き出してもいい。さらに、不安の内容や、不安に感じる原因なども、どんどん言葉にしていく。**

　そうすると、その不安な気持ちを整理することができて、自然と気持ちが落ち着いていくんだ。抑えようとしても抑えられないのに、言葉にして整理すると抑えられるって、なんだか不思議だよね。

　でも、効果バツグンなので試してみよう。不安を手放して、前向きな気持ちで勉強して、やった内容をしっかり定着させよう。

4

タイパUPする学習コンディショニング

モチベーションを上げるための ご褒美はどんなものがいい？

✕

○

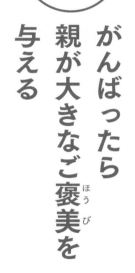

がんばったら
親が大きなご褒美を
与える

小さなご褒美を自分で
たくさん用意する

ご褒美だよ！

わっ

今日のご褒美
はこれにした！

116

　勉強をしなきゃいけないとわかってはいるけど、なかなかやる気にならなくて困るときってあるよね。そういうときはご褒美が効果的。「この勉強が終わったら、○○するぞ！」というご褒美を決めておこう。そうすれば、やる気と集中力を高めることができるはず。

　ご褒美の効果はとても大きい。ある実験では、うるさい音楽が流れる集中しにくい環境で勉強したときにも、ご褒美をもらえると記憶力が落ちなかったとのこと。「ながら勉強」は学習効率が悪いと散々言ってきたけど、この結果は驚きだよね。じゃあ、どんなご褒美を設定したらいいのか。以下の3つのルールを守って決めてみよう。

① ご褒美は自分があげる

　他人からもらうご褒美は"あやつり人形"への道だ。人にあやつられる人生なんてイヤだよね？　**やる気を自分でコントロールできるようになるために、ご褒美も自分で用意しよう。**

② ご褒美は努力に見合った大きさにする

　簡単な努力で、大きなご褒美はおバカさんのやることだ。「5分勉強したら1時間ゲームやらせて」とか、「お風呂そうじしたら1万円ちょうだい」などと言う子がいたら、「あいつバカだな」って思うよね。**自分にご褒美をあげるときにも、努力とご褒美のバランスをよく考えよう。**

③ ご褒美は「素早く」「コツコツ」が鉄則

　がんばってすぐに良いことがあると、人間はやる気が出る。 2-7で伝えた「課題を細かく分ける」と組み合わせて、小さな課題に対してすぐに小さなご褒美を得られるようにしよう。

　ご褒美を上手に活用して、自分のやる気を高めてね！

タイパ的に正しい
テスト前の過ごし方は？

✕　　　**◯**

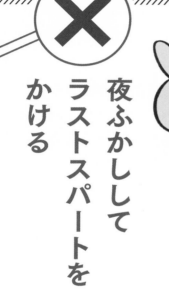

夜ふかしして
ラストスパートを
かける

夜ふかしせず寝る

　テスト前に夜ふかしして勉強したことはあるかな？　私は中学生〜高校生の頃、定期試験前にはよくやっていたよ。さすがに小学生だと徹夜で勉強はないと思うけど、宿題が終わらなくて寝るのが遅くなった経験がある子は結構いるんじゃないかな。

　確かに、宿題が終わらないと叱られるので、どうしてもやらなきゃいけないときはあるかもしれない。でも、**しっかり理解したり覚えたりしてテストで良い成績をとるためには、睡眠を削るやり方はよくないんだ。なぜなら、脳は寝ている間に記憶を整理して強化しているから。**

　わかりやすく言うと、その日にした勉強を自動的に復習してくれているということ。睡眠時間＝勉強時間と言ってもいいほど、たくさん寝ることは成績アップにつながっている。睡眠による学習効果は様々な研究がされているけど、単純な知識の暗記や、国語や算数の思考力が問われる問題、さらには運動や楽器の演奏と、何から何まで睡眠を取ることで成績が上がることが確認されている。実験の条件によって差はあるけど、おおむね何においてもひと晩寝ると20〜40％くらい点数が上がることが多いみたいだね。私は高校生の頃、「寝てしまったら勉強したことを忘れちゃう…」と思って徹夜で勉強してテストに臨んでいたけど、すごくバカなことをしていたことになるね…。

　０は何をかけても０なので、勉強・練習０でも寝れば上達するなんて都合のいい話ではないよ。でも、勉強・練習したことは睡眠をちゃんと取ることで、その効果がグッと高まるので、たくさん寝るようにしよう。**小学校低学年なら10〜12時間くらい、高学年でも８〜９時間の睡眠が取れるといいね。**

睡眠学習の効果を
アップするコツは？

✕
耳栓して寝る

◯
起きたときにご褒美
付きテストをする

おはよー

テスト

テスト後のご褒美

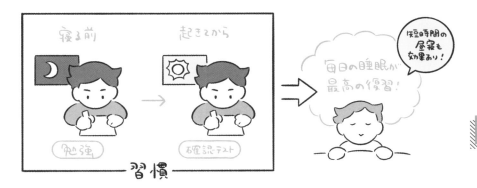

　寝ることはとても効果的な復習方法だとわかってもらえたと思うので、その効果をもっと高める小ワザを教えよう。

　まずは「昼寝」。**短時間の昼寝にも、とても強力な復習効果がある**ことがわかっている。

　だから、「長時間勉強して疲れたなー」というときは休憩時間に昼寝をすると、とても効果的。昼寝の長さは自分で好きなように決めてOK。5〜6分だと、短い分効果は小さくなってしまうけど、それでもちゃんと効果はあるんだ。

　さらに、**お昼寝の効果をアップさせるワザとしては、「起きてから小テストをやり、ご褒美を用意する」という方法がある**。実験では、小テストに合格したときの賞金が大きい方が、賞金が少ないときよりも点数がよくなった。人間は寝ている間もちゃんと頭が働いていて、「賞金がほしい！」という気持ちが強くなると、その分必死に復習してくれるということがよくわかるね。

　そもそも、私たちの脳の記憶メカニズムは「覚えておくといいことがある情報」をしっかり残そうとするんだ。だから、賞金などのご褒美がなくても、「この問題ができるようになりたい！」という気持ちがあれば、睡眠学習の効果はしっかり出るはず。お昼寝をする前には、起きた後にやるテストの準備をしてから寝るようにしよう。

　このワザは昼だけでなく、夜寝るときにも使えそうだね。**「夜寝る前に勉強し、朝起きてから確認テスト」を習慣にしたら、毎日の睡眠が最高の復習になるね**。寝ている間の自分に、自動的にたくさん勉強してもらっちゃおう！

夜勉強していて、眠くなってきたらどうする？

❌ キリのいいところまで終わらせてから寝る

⭕ いったん寝て、続きは起きてから

　ここまで、「睡眠は効果的な復習法だ！」と強調してきたので、勉強は寝る前にしっかり終わらせた方がいいのかな、と思う子がいるかもしれない。でも、実はそうじゃないんだ。勉強の間に睡眠をはさむと、勉強の効果がもっと高まるんだよ。そのことがわかるこんな実験がある。

　2つのグループに分けた実験参加者たちに、16個のスワヒリ語を覚えてもらった。1つのグループでは朝に勉強してから夕方に復習してもらい、もう1つのグループでは夕方に学習して寝てから翌朝に復習してもらったんだ。

　そして、どれくらい覚えているかを1週間後と6か月後にチェック。すると、**学習の間に睡眠をはさむと必要な練習量が半分に減り、長期的な記憶への残り方が大幅によくなったんだ**。勉強時間が減って、しかも覚えたことを長いこと忘れなくなるなんて最高じゃない？

　だから、夜勉強していて、「もうちょっとでキリのいいところまで進むので、最後まで終わらせてから寝よう」というのはメチャクチャもったいないことになるんだね。

　結構多くの子がやっていると思うけど、「漢字テスト当日に試験範囲の漢字を全部覚える」みたいなのは、時間がたくさんかかって、タイパがものすごく悪い勉強法だということがわかるよね。

　勉強したことをちゃんと覚えるためには、復習が絶対に必要だけど、その復習は睡眠をはさんで翌日にやった方が効果的。なんなら、数日に分けて何度も睡眠をはさみながらやると、覚えるのにかかる時間がもっともっと減るかもしれない。

　計画的に少しずつやるのが、結局は勉強時間を少なくすることにつながるんだよ。

4－7

先延ばしグセを直すには？
その①

❌ 一気にがんばって片付ける

⭕ 毎日同じだけやる

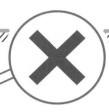

次の日 → 次の日

　君は学校や塾で出された宿題を、期限ギリギリになってやっていないかな？　確かに「怒られないようにする」のが目的なら、期限までに終わらせればOKだ。

　でも、ここまで話してきたように、勉強は同じ時間をかけて同じ量をこなしても、「いつやるか」によって大きく効果が変わるものなんだ。効率よく短時間で覚えたり理解したりしたいなら、勉強をするタイミングが重要になる。

　とすると、期限ギリギリになるまで着手できない「先延ばしグセ」は大敵だ。「後でやればいい」なんて思って先延ばしにしていたら、覚えるのに余計に時間がかかって、必要な勉強時間が増えてしまう。そんなのイヤだよね。じゃあ、どうしたらいいんだろう？　そこで、効果的な方法をいくつか教えよう。

　まず1つ目の方法は、「毎日同じ行動をする」と決めること。例えば、「毎日18〜19時は宿題をする」「毎朝7時から30分間計算に取り組む」など。なぜ、これが効果的かと言うと、その理由は人間の性質にある。

　人はみんな、「先のことを楽観的に考える性質」があるんだ。そのせいで、「今日は疲れているけど、明日はきっと元気だから」「今週は忙しいけど、来週は時間があるだろうから」などと考えてしまう。そのせいで、復習をするのに適したタイミングを逃して、余計に復習時間を増やしてしまうんだ。 もったいないよね。

　でも、**「毎日同じだけやる」と決めて行動すると、こうした先延ばしグセを封じ込めることができる。** 毎日同じだと、それを積み重ねるとどれくらいの量になるかイメージしやすくなるよ。試してみてね。

先延ばしグセを直すには？

その②

❌

⭕

憂鬱_{（ゆううつ）}でもがんばる

自分に
優しい言葉を
かける

やだなぁ…

ぼく、
苦手な算数を
がんばってるな〜

　4-7に続いて、２つ目の先延ばしグセの直し方を教えよう。先延ばしグセの原因の１つとして、「先のことを楽観的に考える性質があるから」と話したけど、原因はそれだけじゃない。人間はイヤな気分になったときに、その気分から目をそらすために、先延ばしするパターンもあるんだ。例えば、苦手な科目の宿題なんかは、これからやることを想像しただけで憂鬱になるよね。

「なかなか解けないんだろうな」「解いても、×だらけになりそうだなぁ」「そもそも、つまらないんだよなぁ」…そんなことが頭に思い浮かんで、イヤな気分になる。こうした気持ちから逃げようとすることが、先延ばしにつながるんだ。

　実際、やらなきゃいけないことから目をそらしてゲームやYouTubeに逃げれば、後でどうなるかはさておき、今この瞬間はしんどい気持ちから解放されるよね。まぁ、先延ばしの結果、待っているのは、さらにさらにイヤな気持ちになる未来なんだけど…。

　そこで、**先延ばしをしないために大事なのが、イヤな気持ちをうまくコントロールする方法なんだ。簡単な方法を１つ挙げると、「自分に優しい言葉をかける」はオススメ**。例えば、友達に言葉をかけるみたいに、「今ぼくは苦手な勉強をやらなきゃいけなくて、心に苦しみを感じているんだね」と、自分の気持ちに寄り添って自らに言ってあげる。

　または、「受験生なら誰でも苦しいときはあるから大丈夫」「いつも苦手な勉強をがんばっているね」などのようにはげます。そうすると、イヤな気持ちを落ち着かせることができて、先延ばしグセを抑えやすくなるんだ。簡単だからやってみてね。

勉強がイヤな気持ちを
コントロールする方法は？

❌ ⭕

イヤな気持ちを我慢してがんばる

前向きになれる考えに切り替える

イヤな気持ち

我慢

イヤな気持ちになる考え

切り替える

前向きになれる考え

128

　4-8では、先延ばしグセの原因として、「イヤな気持ち」があり、それを減らすためのテクニックとして、「自分に優しい言葉をかける」を説明した。

　今度はもっと強力な「考え方を切り替える」というテクニックを教えよう。これが上手にできるようになると、イヤな気持ちを減らすのではなく、そもそもイヤな気持ちにならなくなるんだ。すごいでしょ？

　実は、「イヤな気持ち」というのは自分がそう考えたり、感じたりしているだけのこと。例えば、算数のテストで60点を取ったときに、「こんなに低い点数じゃはずかしい」と思うのか、「結構、点数取れたな」と思うのかは人によって違うよね。

　自分の心の中では、どんなことを考えても感じてもOKなんだ。だから、**イヤな気持ちになる考えではなく、明るく前向きになれる考えを、自分で選択することを心がければいい。**

　例えば、間違えた問題は「できなくてムカつく」「はずかしい」じゃなくて、「成長のチャンス」「本番に向けて練習できた」と考えるようにしてみる。そうすると、なかなか点数が取れない苦手科目も、伸びしろがいっぱいある、やりがいがある科目ってことになるよね。

　他にも、点数が取れなかったときに「ダメだった〜」と思うんじゃなくて、自分の成長した部分を探して「前よりできるようになった」と確認するのもオススメ。

　これは頭でわかっていても、実際には難しいかもしれない。でも、できるようになるとイヤな気持ちのコントロールがバツグンにうまくなるので、少しずつ練習していこう。

4 - 10

家で勉強中に集中力を長くキープするコツは？

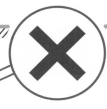

長時間ずっと座って勉強する

勉強の合間に運動をする

早く勉強を終わらせて遊ぶためにも、せっかく勉強したことを覚えるためにも、集中力は超大事。でも、わかっちゃいるけど、集中した状態を維持するのって難しいよね。勉強の合間にちょこちょこ立ち歩いて、親に「集中しなさい！」って怒られたことがある子は多いと思う。もしかしたら、君もそういう経験があるかもね。

どうすれば集中力を維持できるんだろうか？　その方法の1つが、軽い運動をすること。**勉強の合間に体を動かすと集中力が高まるんだ。**体を動かすと脳に血液が送り込まれ、酸素が行き渡るようになって活性化する。

その結果、学んだことが記憶に定着しやすくなる。やり方は簡単で、**ウォーキングなどの軽い運動を5分程度やるだけ。これを1日に5〜6回やるのがオススメ。**

実際に、ずっと座って仕事をしがちな大人を対象に実験を行った。①朝30分一気に運動するグループ、②1時間ごとに5分の運動を6回したグループ、③運動しなかったグループ、この3つを比べた。その結果、運動をした①②は、ずっと座りっぱなしの③よりも日中の集中力がはっきり高まり、疲れ具合も少なかったんだ。

そして、①と②を比べると、細かく何度も運動した②の方が、1日中の活力がより高く、やる気のある状態を維持することができた。①は朝の運動直後は②よりも活力が高かったけど、1日トータルでは②の方が良い。

同じように子どもの勉強でも、身体を動かした方が活力が上がるはず。学校だと、休み時間には校庭で身体を動かして遊んだりすると思うけど、家だとついつい座りっぱなしになりがち。だから、意識的に身体を動かすようにしてみよう！

4－11

勉強内容が定着しやすい休憩方法は？

❌

スマホをいじって気分転換

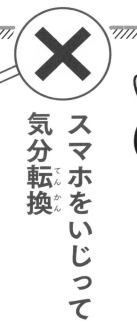

⭕

ボーっとする

ボ〜〜

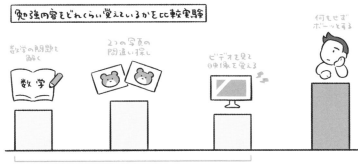

勉強内容をどれくらい覚えているかを比較実験

数学の問題を解く

2つの写真の間違い探し

ビデオを見て映像を覚える

何もせずボーッとする

すべて「何もせず」ボーッとするより成績が悪い！

　1-1で、集中力を維持して効率よく勉強するためには、こまめに休憩することが大事だと説明したよね。じゃあ、この休憩タイムには何をしたらいいんだろう？　何でもいいのかな？　もちろん、休憩時間だから何をしてもいいけど、することによって勉強の効率が変わってくることは知っておこう。**基本的に、休憩時間は「脳を休ませる」ことを意識した方がいい。なぜなら、その方が勉強した内容が定着しやすいからなんだ。**

　実際に、勉強した後に色々なことをしてみて、勉強内容をどれくらい覚えていられるかを比較した実験があるよ。「数学の問題を解く」「写真のペアを与えられて間違い探し」「ビデオを見て映像を覚える」などをした場合と、「何もせずボーっとする」を比べてみた。その結果、すべて「何もせずボーっとする」より成績が悪かったんだ。勉強した後に何かをすると、それによって覚えたことが脳から押し出されてしまうんだね。

　それに対して、ボーっとして何もしないでいると、脳は勉強したことを復習して整理してくれるので、消えにくい強い記憶に変わる。ボーっとする以外にも、4-5で書いたように昼寝をするのも効果的だよ。

　やってはいけないことが色々ある中で、特に気をつけてほしいのが「スマホ」なんだ。大人でも子どもでも休憩になったらスマホをいじりたくなると思うけど、これはやめた方がいい。

　なぜなら、リフレッシュできないどころか、かえって疲れがたまったり、やる気が下がったりしがちだから。イギリスの高校生たちを対象にした研究でも、学校がスマホの使用を禁止したら生徒の成績が全体的に上がった。特に、もともと成績が悪かった子たちほど顕著に成績がよくなったというデータがあるよ。休憩中はしっかり頭を休ませてね！

やる気を高める簡単な メンタルの整え方は？

✕

やってもらうのが 当たり前だと思う

◯

何ごとにも 感謝の気持ちを持つ

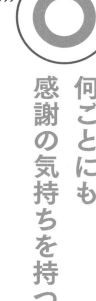

いつもご飯 ありがとう！

　人間は仲間と生きる動物なので、仲間のためなら自分のため以上にがんばれるという本能を持っている。野球やサッカーのようなチームスポーツや、ダンスやバレエのような集団で演技をする習い事をしていたら、「みんなのためにがんばろう」という想いが力になるのは実感したことがあると思う。

　自分を他人との協力に向かわせるような感情には、人間をパワーアップさせる力がある。中でも、「感謝」の気持ちはとても強力だよ。

　昔からの研究でも、感謝の気持ちを持つと、「幸福度が上がる」「よく眠れるようになる」などの心の健康度のアップ、「運動をするようになる」「衝動買いが減って貯金が増える」などの自己コントロール力のアップがあることがわかっている。

　最近の研究でも、**感謝の気持ちには、勉強に対してのやる気を高める効果まであること**がわかったんだ。どんな研究かというと、84名の大学生に協力してもらって、2週間毎日「感謝日記」を書くグループと、書かないグループに、ランダムにグループ分けされた。その結果、「感謝日記」を書いていた学生たちは勉強に対してのやる気が高まっていた。この効果は、感謝日記が終わって3か月後もまだ残っていたそうだ。すごいよね。

　さっそく今日から色々なことに感謝の気持ちを持つようにしよう。本当にささいなことでOK。例えば、「落とした消しゴムを友達が拾ってくれた」とか、「お母さんが朝起こしてくれた」とか、1日の中で誰かに何かをしてもらうことが何度もあるはず。そんなときに感謝の気持ちを言葉にして伝えたり、この研究に参加した大学生たちのように日記に書き残したりしてみよう。前向きな気持ちで勉強に取り組めるようになって、成績も上がるよ。

志望校は宣言した方がいい？

❌ みんなの前で宣言する

⭕ 大切な人にだけ言う

宣言する　宣言する　宣言しない

確率UP！

差がない

目標を達成する確率

　目標を達成したければ、宣言した方がいいと言う人がいるよね。目標を宣言することで「ちゃんとやらなきゃ！」というプレッシャーがかかるから、目標に向けた行動が増えて達成確率が上がるという理由だ。

　その一方で、特に志望校などは人に話してはいけないと言う人もいる。確かに、小学校や塾には他人の志望校を探ろうとする子が一定数いて、不合格だったときにバカにするタチの悪い子もいる。余計な悩みの種を増やしたくなければ、目標は人に言わない方がいいという理由だ。

　どちらも、もっともらしいけど、いったいどうするのがいいんだろう？

　これについて、参考になりそうな研究があるよ。実験参加者たちを3つのグループに分け、1つ目のグループでは「地位の高い人」っぽい仕掛人に目標を宣言させ、2つ目のグループでは「地位の低い人」っぽい仕掛人に目標を宣言させ、3つ目のグループでは誰にも目標を宣言させなかった。その結果、1つ目のグループでは目標を達成する確率が跳ね上がったけど、2つ目のグループは3つ目のグループと差がなかったんだ。誰に目標を宣言するかで効果が違うことがわかるね。

　自分にとって、「この人の期待を裏切りたくない」と思う相手に宣言をすることが大事で、どうでもいい相手に宣言しても効果はないみたい。ということは、リスクを取ってみんなの前で目標を宣言する必要はないよね。**大好きな家族や友達、尊敬する先生など、自分にとって大切な人にだけ目標を宣言しよう**。そういう人たちだったら、失敗したときにもむしろ温かくはげましてくれるはずだから、余計な心配もないよね。特に、お互いに目標を打ち明け合って、応援し合える仲間がいると、目標達成をしやすくなるので、良い友人関係を作ることを心がけよう。

あとがき

　この本を最後まで読んでくれてありがとう。

　ここまで読んだことで、勉強はやり方次第で進む速度も覚えられる量も全然違うことがわかってもらえたんじゃないかな。

　人間の頭の働きのうち、自分でコントロールできる部分は実はとても少ないんだ。記憶は勝手に覚えたり、勝手に忘れたりするし、やる気だって周囲の環境次第で出たり、消えたりする。

　「やる気を出したい！」と思っているのに、やる気になれなくて困ったことがあるよね？　でも、それは君だけじゃなくて、みんな同じなんだ。だから、どんなやり方だったら覚えられるのか、どんな状況だったらやる気が出るのか、どんな環境だったら集中できるのか、自分の取扱説明書を持っておく必要がある。

　君は、まだ本当の力を引き出せていない。自分の力の引き出し方を知れば、苦手な科目があったとしても集中して取り組めるようになるし、簡単に覚えられるようになる。得意な科目なら、もっともっと得意になれる。そうすれば、きっと勉強が楽しくなる。

勉強は、攻略法がわかればとても楽しいゲームだよ。
　正しいやり方をすれば、どんどん自分のレベルを上げていくことができる。そして、やれることが増えていく。

　それに対して、間違ったやり方をしていると、勉強してもなかなかできるようにならない。できるようにならないと面白くないよね。ゲームだって全然クリアできなかったら「なんだ、このク

ソゲー！」ってなるのと同じように、勉強だってクリアできなかったら面白くないのは当たり前のことだよね。

　私たちはみんな、攻略法をちゃんと教えてもらっていない状態で、勉強ゲーム・受験ゲームに参加させられる。攻略法に自分で気づけた一部の子はこのゲームを楽しめるけど、ほとんどの子はクリアの仕方がわからないまま嫌いになってしまっているんだ。それはとてもつらいし、残念な状況だよね。

　だから、この本で紹介した"勉強ゲーム攻略法"を実践して、ラクして効率よく勉強ができるようになってほしい。現実世界で自分を鍛えることができたら、そして成長が実感できたら、絶対面白くなるはず。

　「まえがき」では、短時間で勉強を終わらせて遊ぶ時間を増やそうと書いたけど、実は私の本音ではないんだ。だって、それって「勉強はつまらないもの・イヤなものだから早く終わらせたい」というのが前提にあるよね。

　それは大きな間違いで、勉強はとても楽しいものだよ。勉強のやり方のコツをつかんだ君が、勉強を好きになってくれることを願っています。そして、たくさん勉強して、成績を上げて志望校に合格したり、将来自分がなりたい仕事に就いたりできるように応援しています。がんばってね。

2024年1月
中学受験専門塾 伸学会
菊池 洋匡

主な参考文献

Catherine D. Middlebrooks, Tyson Kerr, Alan D. Castel "Selectively Distracted: Divided Attention and Memory for Important Information"

Sophie Leroy "Why is it so hard to do my work? The challenge of attention residue when switching between work tasks"

Yaqian Tan, Xiangping Liu "Influence of Grapheme and Syllable Learning on Handwriting Output of Chinese Characters in Children With Dictation Difficulties"

Boyoun (Grace) Chae, Rui (Juliet) Zhu "Environmental Disorder Leads to Self-Regulatory Failure"

Daniel Randles, Iain Harlow, Michael Inzlicht "A pre-registered naturalistic observation of within domain mental fatigue and domain-general depletion of self-control"

Maayan Katzir, Aviv Emanuel, Nira Liberman "Cognitive performance is enhanced if one knows when the task will end"

Hongjai Rhee, Sudong Kim "Effects of breaks on regaining vitality at work: An empirical comparison of 'conventional' and 'smart phone' breaks"

Stéphanie Mazza, Emilie Gerbier, Marie-Paule Gustin, Zumrut Kasikci, Olivier Koenig, Thomas C. Toppino, Michel Magnin "Relearn Faster & Retain Longer: Along With Practice, Sleep Makes Perfect"

Wong, Sarah Shi Hui Lim, Stephen Wee Hun "Deliberate errors promote meaningful learning."

Tanmay Sinha, Manu Kapur "When Problem Solving Followed by Instruction Works: Evidence for Productive Failure"

Alexis Lafleur, Victor J. Boucher "The ecology of self-monitoring effects on memory of verbal productions: Does speaking to someone make a difference?"

Ming Kuo, Matthew H. E. M. Browning, Milbert L. Penner "Do Lessons in Nature Boost Subsequent Classroom Engagement? Refueling Students in Flight"

Audrey Bergouignan,corresponding, Kristina T. Legget, Nathan De Jong, Elizabeth Kealey, Janet Nikolovski, Jack L. Groppel, Chris Jordan, Raphaela O'Day, James O. Hill, & Daniel H. Bessesen "Effect of frequent interruptions of prolonged sitting on self-perceived levels of energy, mood, food cravings and cognitive function"

Steven B Most, Briana L Kennedy, Edgar A. Petras "Evidence for improved memory from 5 minutes of immediate, post-encoding exercise among women"

Payam Piray, Verena Ly, Karin Roelofs, Roshan Cools, Ivan Toni "Emotionally Aversive Cues Suppress Neural Systems Underlying Optimal Learning in Socially Anxious Individuals"

Loredana Buchan, Momna Hejmadi, Liam Abrahams, Laurence D. Hurst "A RCT for assessment of active human-centred learning finds teacher-centric non-human teaching of evolution optimal"

Ranjana K. Mehta, Ranjana K. Mehta "Standing Up for Learning: A Pilot Investigation on the Neurocognitive Benefits of Stand-Biased School Desks"

Mark E. Benden, Hongwei Zhao, Christina E. Jeffrey, Monica L. Wendel, & Jamilia J. Blake "The Evaluation of the Impact of a Stand-Biased Desk on Energy Expenditure and Physical Activity for Elementary School Students"

Kelli Taylor, Dou Rohrer "The Effects of Interleaved Practice" Applied Cognitive Psychology 24(6):837 – 848 · September 2010

Chirikov I, Semenova T, Maloshonok N, Bettinger E, Kizilcec R "Online education platforms scale college STEM instruction with equivalent learning outcomes at lower cost"

John F. Nestojko, Dung C. Bui, Nate Kornell, Elizabeth Ligon Bjork "Expecting to teach enhances learning and organization of knowledge in free recall of text passages

Yusuke Watanabe, Yuji Ikegaya "Effect of intermittent learning on task performance: a pilot study"

合掌顕・水野有友里『「好ましい」BGMが作業効率に与える影響』

川島隆太・杉浦元亮など『学習意欲の科学的研究に関するプロジェクト』

小林敬一『他の学習者に教えることによる学習はなぜ効果的なのか？』

菊池洋匡（きくち・ひろただ）

中学受験専門塾伸学会代表。算数オリンピック銀メダリスト。開成中学・高校・慶應義塾大学法学部法律学科卒業。10年間の塾講師歴を経て、2014年に伸学会を自由が丘に開校。現在は目黒校・中野校と合わせて3教室に加え、オンライン指導も展開。「自ら伸びる力を育てる」というコンセプトで「ホームルーム」という独自の授業を実施し、スケジューリングやPDCAといったセルフマネジメントの技術指導に加え、成長するマインドセットのあり方を育てるコーチングもしている。これらはすべて最新の教育心理学の裏づけがあり、エビデンスに基づいた授業に対して特に理系の父母からの支持が厚い。伸学会の指導理念と指導法はメルマガとYouTubeでも配信し、現在メルマガは約7000人、YouTubeは約80,000人の登録者がいる。伸学会の生徒の9割以上は口コミによる友人紹介と、メルマガ、YouTubeを見ているファンの中から集まっている。主な著書に、『「やる気」を科学的に分析してわかった小学生の子が勉強にハマる方法』『「記憶」を科学的に分析してわかった小学生の子の成績に最短で直結する勉強法』『「しつけ」を科学的に分析してわかった小学生の子の学力を「ほめる・叱る」で伸ばすコツ』（実務教育出版）などがある。

- 伸学会ホームページ
  https://www.singakukai.com/
- 伸学会YouTubeチャンネル
  https://www.youtube.com/channel/UCpmlx1eakUt4zHDLTzUF7eA

メルマガ登録はこちらのQRコードから　→　

YouTubeチャンネルはこちらのQRコードから　→　

小5までに身につけないとヤバい！
小学生のタイパUP勉強法

2024年2月10日　初版第1刷発行

著　者　菊池洋匡
発行者　淺井　亨
発行所　株式会社実務教育出版
　　　　〒163-8671　東京都新宿区新宿1-1-12
　　　　電話　03-3355-1812（編集）　03-3355-1951（販売）
　　　　振替　00160-0-78270

印刷／株式会社文化カラー印刷　　製本／東京美術紙工協業組合